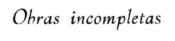

Obras incompletas

Letras Hispánicas

Gloria Fuertes

Obras incompletas

Edición de la autora

DECIMOTERCERA EDICIÓN

CÁTEDRA

LETRAS HISPANICAS

Ilustración de cubierta: Mauro Cáceres

© Gloria Fuertes
Ediciones Cátedra, S. A., 1999
Juan Ignacio Luca de Tena, 15. 28027 Madrid
Depósito legal: M. 746-1999
ISBN: 84-376-0056-1
Printed in Spain
Impreso en Gráficas Rógar, S. A.
Navalcarnero (Madrid)

Índice

Aconsejo beber hilo

NI TIRO, NI VENENO, NI NAVAJA

POETA DE GUARDIA

Vivir: compás de espera

¡Qué barullo en la herida!... (Poemas de amor)

11

Minipoemas

Poemas variados

La Pica (Poemas del más allá)

Todas las noches me suicido un poco (17 poemas
    publicados en revistas)

La buena uva (Poemas de buena uva)

CÓMO ATAR LOS BIGOTES DEL TIGRE

SOLA EN LA SALA

Prólogo

MEDIO SIGLO DE POESÍA
DE GLORIA FUERTES
O VIDA DE MI OBRA

Con toda sinceridad

Con toda la sinceridad y lógica inmadurez de mis diecisiete años, el primer poema autobiográfico que escribí y publiqué fue éste:

ISLA IGNORADA

Soy como esa isla que ignorada,
late acunada por árboles jugosos,
en el centro de un mar
que no me entiende,
rodeada de nada,
—sola sólo—.
Hay aves en mi isla relucientes,
y pintadas por ángeles pintores,
hay fieras que me miran dulcemente,
y venenosas flores.
Hay arroyos poetas
y voces interiores
de volcanes dormidos.

Quizá haya algún tesoro
muy dentro de mi entraña.

¡Quién sabe si yo tengo
diamante en mi montaña,
o tan sólo un pequeño
pedazo de carbón!
Los árboles del bosque de mi isla,
sois vosotros mis versos.
¡Qué bien sonáis a veces
si el gran músico viento
os toca cuando viene el mar que me rodea!

A esta isla que soy, si alguien llega,
que se encuentre con algo, es mi deseo;
—manantiales de versos encendidos
y cascadas de paz es lo que tengo—.
Un nombre que me sube por el alma
y no quiere que llore mis secretos;
y soy tierra feliz —que tengo el arte
de ser dichosa y pobre al mismo tiempo—.

Para mí es un placer ser ignorada,
isla ignorada del océano eterno.

En el centro del mundo sin un libro
sé todo, porque vino un mensajero
y me dejó una cruz para la vida
—para la muerte me dejó un misterio—.

Con cierta frecuencia, y sin saber explicar el porqué, continué cantando o contando mi vida muy directamente en ciertos poemas que, o bien titulaba «autobiografías» o que, sin titularse así, informaban sobre mis estados anímicos, económicos, sentimentales-emocionales, circunstancias exteriores, experiencias interiores, etc.

Se ha visto a través de los siglos que toda obra literaria es en parte autobiográfica, sobre todo si el autor es poeta.

Mi obra, en general, es muy autobiográfica, reconozco que soy muy «yoista», que soy muy «glorista». Lo que a mí me sucedió, sucede o sucederá, es lo que ha sucedido al pueblo, es lo que ha ocurrido a todos, y el poeta sabe, más o menos, mejor o peor, contarlo, necesita decirlo, porque necesitáis que lo digamos.

Y este cantar (o contar) mi vida en verso lo destaco valientemente, de una manera clara, a veces descarada, en mis múltiples autobiografías poéticas.

Veamos la segunda:

NOTA AUTOBIOGRÁFICA

Gloria Fuertes nació en Madrid
a los dos días de edad,
pues fue muy laborioso el parto de mi madre
que si se descuida muere por vivirme.
A los tres años ya sabía leer
y a los seis ya sabía mis labores.
Yo era buena y delgada
alta y algo enferma.
A los nueve años me pilló un carro
a los catorce me pilló la guerra;
a los quince se murió mi madre,
—se fue cuando más falta me hacía—.
Aprendí a regatear en las tiendas
y a ir a los pueblos por zanahorias,
por entonces empecé con los amores
—no digo nombres—
gracias a eso, pude sobrellevar mi juventud de ba-
Quise ir a la guerra, para pararla,   [rrio.
—me detuvieron a mitad de camino—.
Luego me salió una oficina,
donde trabajo como si fuera tonta
—pero Dios y el botones saben que no lo soy—.
Escribo por las noches y voy al campo mucho.
Todos los míos han muerto hace años
—estoy más sola que yo misma—.
He publicado versos en todos los calendarios,
escribo en un periódico de niños,

y quiero comprarme a plazos una flor natural
como las que le dan a Pemán algunas veces.

«Gloria Fuertes nació en Madrid.» ¿Por qué como en una instancia empezar un poema con mi nombre? En los primeros años de nuestra postguerra, al palparnos vivos a pesar y todavía, necesitábamos gritar —como todo superviviente— que estábamos aquí, que nos llamábamos así, que sentíamos de aquella manera. Por aquel entonces, sin ponernos de acuerdo, Blas de Otero, Celaya, Hierro, Alcántara —y tantos nombres que añadirán a esta relación los estudiosos—, escribíamos poemas declarando incluso nuestra filiación, dirección y profesión para llamar la atención a los transeúntes que luego iban o no a pasear por nuestras páginas.

NO DEJAN ESCRIBIR

Trabajo en un periódico
pude ser secretaria del jefe
y soy sólo mujer de la limpieza.
Sé escribir, pero en mi pueblo
no dejan escribir a las mujeres.
Mi vida es sin sustancia
—no hago nada malo—;
vivo pobre.
Duermo en casa.
Ceno un caldo y un huevo
—para que luego digan—.
Compro libros de viejo.
Me meto en las tabernas,
también en los tranvías,
me cuelo en los teatros
y en los saldos me visto.
Hago una vida extraña.

... Soy más bien buen carácter,
y nadie dice
que desde que nací yo duermo sola.
... Soy alegre y afable en el invierno,
en el verano piso por la playa,
en el otoño pliso los visillos,
estoy como una cabra en primavera.

Atraída únicamente por el lenguaje popular, por el saber popular, me he agarrado varias veces al dicho «De poetas y de locos todos tenemos un poco», y transformándolo a mi manera, vuelvo a reconocer que estoy algo «cabra» en otro poema, no sé si bueno, pero sí sincero y valiente:

CABRA SOLA

Hay quien dice que estoy como una cabra,
lo dicen, lo repiten, ya lo creo,
pero soy una cabra muy extraña
que lleva una medalla y siete cuernos.
¡Cabra! En vez de mala leche yo soy llanto.
¡Cabra! Por lo más peligroso me paseo.
¡Cabra! Me llevo bien con alimañas todas.
¡Cabra! Escribo en los tebeos.
Vivo sola. Cabra sola
—que no quise cabrito en compañía—,
cuando subo a lo alto de ese valle
siempre encuentro un lirio de alegría.
Y vivo por mi cuenta, cabra sola,
que yo a ningún rebaño pertenezco.
Si sufrir es estar como una cabra,
entonces si lo estoy, no dudar de ello.

Y otra muestra de autobiografismo irremediable en el siguiente poema muy poco conocido:

VENTANAS PINTADAS

Vivía en una casa
con dos ventanas de verdad y las otras dos pinta-
                                        [das en la fachada.
Aquellas ventanas pintadas fueron mi primer do-
Palpaba las paredes del pasillo,   [lor.
intentando encontrar las ventanas por dentro.
Toda mi infancia la pasé con el deseo
de asomarme para ver lo que se veía
desde aquellas ventanas que no existieron.

En esta línea autobiográfica tengo otro tipo de
poemas en los que nombro, con pelos y señales,
a mis amigos o amores del momento, como muestra el siguiente en el que manifiesto que les comprendo, aunque no explico el porqué:

ESTA NOCHE COMPRENDO

Esta noche comprendo por qué bebe Novais,
por qué canta Renata
por qué Rita se esconde,
por qué cose Amparito,
por qué Celaya ríe
por qué Phyllis se acuesta
por qué Chelo se duerme,
por qué Lauro y sus golfos
por qué yo y mi taberna,
por qué la psiquiatría
por qué va y se suicida...
esta noche comprendo
por qué la gente es buena
por qué la gente es mala
por qué no tengo sueño

por qué estamos tan solos
por qué fuma una monja [1].

Fui surrealista y autodidacta

Fui surrealista, sin haber leído a ningún surrealista; después, aposta, «postista» —la única mujer que pertenecía al efímero grupo de Carlos Edmundo de Ory, Chicharro y Sernesi. La postista que irremediablemente iba para modista, modista de un importante taller (mi madre se encargó de ello), modista o niñera, se reveló por primera vez; yo no quería servir a nadie, si acaso a todos.

Mi madre, por fin, me matriculó en el «Instituto de Educación Profesional de la Mujer» (precisamente en la calle del Pinar, Madrid) en todas las asignaturas propias de mi sexo. Allí me diplomaron, pero bien diplomada, en Cocina, Bordados a mano y a máquina, Higiene y Fisiología, Puericultura, Confección y Corte (¡qué corte!), y por si fallaba (que falló) lo del casorio —cosa que intuía la que me parió—, me apuntó también a «Gramática y Literatura», ya que estaba harta de mis mosqueantes aficiones, impropias de la hija de un obrero—, tales como atletismo, deportes y poesía. Además, en aquellos tiempos, antes de la garra de la guerra, pocas muchachas practicaban hockey, baloncesto y menos, poesía.

Ya en 1937 y para no terminar, tan joven, muriéndome de hambre y otras cosas, entré en una fábrica de contable; en aquel barrio llovían obuses a diario —os lo cuento de milagro—. Y así, trabajando sin cesar en diferentes oficios (y sin dejar de escribir un solo día poesía) pasé en 1939 de la oficina de hacer cuentas a una redacción para hacer cuentos.

---

[1] Otros muchos poemas autobiográficos los encontrará el lector a lo largo de estas páginas.

En 1955 volví a estudiar, hice biblioteconomía e inglés, durante cinco años —todo esto sin dejar de trabajar ni de escribir.

Fue una de mis épocas más felices. Aquellos años, en que ya al frente de una «Biblioteca Pública», aconsejaba y sonreía a los lectores. Mi jefe era el libro, ¡yo era libre!

Más feliz fui todavía, en 1961, cuando con un anémico «currículum vitae», de sólo seis libros de poesía agotados, me dieron una «Beca Fulbright» para enseñar «Poetas españoles» en la Universidad de Buchnell, Pennsylvania (Estados Unidos). ¿Es necesario que diga la sincera, estremecedora y terrible frase con la que empecé el curso?

—«Es la primera vez que piso una Universidad, no como estudiante sino como profesora...»

Se hizo un breve silencio durante el cual me los gané. A continuación, empecé con Unamuno, padre de la poesía del siglo xx.

Circunstancial y emocionalmente, desde 1965 mi destino estaba hecho un fuera de serie. Y a pesar, estuve dando clases con clase, allí o aquí hasta este presente año 1975 en que, aún ayudada por la «Beca March de Literatura Infantil» (1972) me autobequé y pasé por primera vez a «trabajar» solamente en lo mío: escribir, y vivir —como sea— de lo que escribo.

Influencias

Cuando empecé a escribir, niña-adolescente, como no había leído nada, mi primera poesía no tenía influencias. Empecé a escribir como hablaba, así nació mi propio estilo, mi personal lenguaje. Necesitaba decir lo que sentía, decirlo, sin preocuparme de cómo decirlo. Quería comunicar el fondo, no me importaba la forma, tenía prisa.

Aunque después, como es lógico, leí y leo poetas, a mí no hay quien me influya, así que, como en 1934, sigo siendo huérfana e independiente.

El primer poeta que conocí fue en vivo, no en libro, y era Gabriel Celaya —debido a que me «pisó» el «Premio Fémina de Poesía»—. Gabriel y yo fuimos finalistas, yo quedé segundona. Celaya, en 1934 (¿), era alto y rubio como la cerveza, parecía un príncipe —lo que son las cosas...

Mi poética y obsesión de comunicación

TELEGRAMAS DE URGENCIA ESCRIBO

Escribo, más que cantar cuento cosas.
Destino: La humanidad.
Ingredientes: Mucha pena
            mucha rabia
            algo de sal.
Forma: Ya nace con ella.
Fondo: Que consiga emocionar.
Música: La que el verso toca
        —según lo que va a bailar—.
Técnica: ¡Qué aburrimiento!
Color: Calor natural.
        Hay que echarle corazón,
        la verdad de la verdad,
        —la magia de la mentira
        no es necesario inventar—.
        Y así contar lo que pasa
        —¡nunca sílabas contar!—
        Y nace solo el poema...
        Y luego la habilidad
        de poner aquello en claro
        si nace sin claridad.

En este poema de veintiún versos resumo (y doy facilidades) todo lo que pueden decir de mí, con estudio, rigor y trabajo, en tesis de esas de quinientos folios.

Desde adolescente, casi niña, descubrí que mis poemas tenían un destinatario: la Humanidad, por eso a algunos los titulé «poemas-cartas».

Me parecen incompletos, aunque sean buenos, los poetas que escriben y confiesan escribir para sí mismos. La útil expresión es más importante que la inútil perfección.

Mi lenguaje era y es, directo-comunicativo, mi «yoísmo» no es egoísta, porque es un «yoísmo» expansivo. Sólo quiero darme a entender, emocionar o mejorar con aquello que a mí me ha emocionado o mejorado antes de escribirlo; o más todavía: gritar a los sordos, hacer hablar a los mudos, alegrar a los tristes, poner mi verso en el hombro de los enamorados, hacer pensar a los demasiado frívolos, describir la belleza a los ciegos de espíritu, amonestar a los injustos, divertir a los niños; esto es lo que quiero y a veces consigo.

Es necesario obtener comunión-comunicación con el lector u oyente para conseguir conmover y sorprender. Por esto, ya en mis primeros libros inicié algo en lo que he insistido a través de mi obra: escribir poemas breves, «Momentos» los llamaba en mi primer libro *Isla ignorada;* vuelven a aparecer en las páginas centrales de *Poeta de guardia* con el título de «Mini-poemas» y en casi todo el reciente *Sola en la sala* y en mis libros aún inéditos. El libro *Sola en la sala* (que aparece íntegro al final de este volumen) resultó, sin proponérmelo, puesto que no lo escribí pensando en libro, la mayor expresión con el menor material; con las menos palabras, al resumir y exprimir la idea, obtuve la esencia, el zumo, el tuétano de la poesía que yo tenía que dar en esa época —en la que yo físicamente también vivía a base de zumos y de extractos—. El lector puede comprobar esto en mis poemas de un solo verso.

Es difícil rectificar, en vidrio, acuarela o amor.

Cuando escribí *Sola en la sala* yo estaba por primera vez enferma, tenía mucha prisa, y decía lo que tenía que decir con la rapidez de un dardo, un navajazo, una caricia.

Voy por los pueblos

Voy por los pueblos, aldeas y provincias de España. A los que no compran libros (porque allí no llega el libro, o el dinero, o la alfabetización), yo, humildemente, les llevo mi libro vivo, en mi voz, cascada rota, en mi cuerpo, cansado y ágil. Así sé que mi poesía también es oral, así la entiendo y me entienden.

Mi poesía no es mía de siempre, no es mía del todo, me la dicta alguien —no sé quién—, yo la doy a todos —no sé a quiénes.

Cuando los editores de Cátedra me dijeron que escribiera sobre mí misma unos folios que abriesen este volumen de *Obras incompletas*, me eché a temblar.

Hay poetas que saben adjetivar exhaustivamente su poesía, yo no sé más que escribirla; lo único que puedo deciros es que mi obra nunca será oscura, difícil, cerebral, culta —culta en el sentido en que intelectualmente no tengo datos ni memorias. A la hora de escribir se me olvida lo poco estudiado y lo mucho leído, al escribir solamente recuerdo lo que tengo que decir y lo digo, a mi manera, a mi aire, en directo, sin ensayos, sin preocupación, espontáneamente, en vivo. Se puede crear pintura, escultura y música abstracta, pero una casa, un amor y un poema no pueden ser abstractos. En fin, con perdón, escribo como me da la gana.

Mi mundo poético es vuestro mundo; de tanto preocuparme por vosotros continúo olvidándome de mí. Vivo sola pero no aislada, salgo a la calle, hablo, escucho, siento o presiento vuestros laberintos, siento o presiento que nos necesitamos.

No puedo pararme en la flor,
me paro en los hombres que lloran al sol.
Y sigo intentando evitar
un mundo peor.

Temas

Hombre-vida, amor-paz, muerte-Dios, injusticias-guerras, niño-futuro, soledad-tristeza, desamor-angustia, humor-amor y amor otra vez; dicen que son los temas en los que más insisto.

No soy demasiado descriptora de exteriores. No soy paisajista.

No puedo vivir sin paisaje, pero en mi poesía prefiero el hombre al monte, el niño al árbol. En el campo, sobre la tierra, «pinto» al campesino, al labrador; bajo la tierra, al minero; en el mar, al pescador, al marinero, y en la ciudad me dirijo a todo ser que sufre o goza sobre el asfalto.

Proceso creativo

Primero siento, después pienso, en ese sentir-pensar se engendra el poema y, veloz, se inicia el recorrido mágico: corazón-mente-dedos, y entre los dedos —muslos creadores— se produce el parto, el asombroso nacimiento del nuevo poema.

Lo que no me ha sucedido nunca es que el poema se retrase horas, días... si el poema se atraviesa, algo va mal en la madre —en el poeta.

Perdonad que la metáfora me haya salido tan fisiológica, pero bien véis que el nacimiento de un poema es en parte como un parto, un parto sin dolor —el dolor se siente antes del alumbramiento, durante el fugaz «embarazo».

Circunstancias, emociones o sentimientos que me sacuden, provocan el salir de estampida las oportunas palabras. Aún me maravillo al comprobar que me salen solamente las que tienen que salir y acuden a la punta del bolígrafo en orden, sin empujarse, a su debido tiempo, y que se paran cuando yo ya he dicho lo que quería decir; aunque solamente haya escrito dos versos, me obligan, las palabras, a poner punto final en el poema.

Y por Castilla veo un árbol
y parece que veo a alguien de mi familia.

Y ahora...

No me catalogues
no me catafalco
no me catadiñes
—sería desfalco—.

Ahora una minoría vendrá a catalogarme, a «etiquetearme» o a encasillarme literaria o sociológicamente; la etiqueta se me desprenderá con el sudor de mis versos, y si me encasillan, me escapo.

Tener la suerte y el valor de reeditar hasta mis antiguos versos (los primeros libros casi nunca son buenos), gracias a este volumen, me responsabiliza de una manera atroz.

El que se expone se expone. Sé que vendrá un

temporal de lluvias de críticas, ensayos, tesis,
fuertes alabanzas, fuertes palos o fuertes glorias;
dirán que poéticamente soy así o asao, que huma-
namente soy esto o lo otro, y una se cura en salud anticipando:

> *Que me llamen lo que quieran*
> *que a mí no me importa nada*
> *mientras que a mí no me llamen*
> *la finada.*

GLORIA FUERTES

BIBLIOGRAFÍA

PUBLICACIONES, DISCOS Y OTROS ESCRITOS

Obra poética

Isla ignorada, Madrid, Musa Nueva, 1950.
Antología y poemas del suburbio, Caracas, Lírica Hispana, 1954.
Aconsejo beber hilo, Madrid, Arquero, 1954.
Todo asusta, Caracas, Lírica Hispana, 1958. (Primera Mención del Concurso Internacional de Poesía Lírica Hispana).
Que estás en la tierra, Barcelona, Seix y Barral, 1962.
Ni tiro, ni veneno, ni navaja, Barcelona, El Bardo, 1965 (Premio Guipúzcoa).
Poeta de guardia, Barcelona, El Bardo, 1968.
Cóma atar los bigotes al tigre, Barcelona, El Bardo, 1969 (Accésit Premio Vizcaya).
Antología poética (1950-1969), Barcelona, Plaza y Janés, 1970. (Prólogo de Francisco Ynduráin.) 2.ª ed., 1973; 3.ª ed., 1975.
Sola en la sala, Javalambre, Zaragoza, 1973.
Cuando amas aprendes Geografía, ed. Curso Superior de Filología, Málaga, 1973.

LITERATURA INFANTIL

Cuentos (publicados semanalmente en las revistas infantiles «Pelayos» y «Maravillas» (1940-1955).

Canciones para niños, Madrid, Escuela Española, 1952.

Villancicos, Madrid, Magisterio Español, 1954.

Pirulí (versos para párvulos), Madrid, Escuela Española, 1955.

Cangura para todo (cuentos para niños), Barcelona, Lumen, 1968 (Diploma de Honor, Premio Anderson Internacional de Literatura Infantil); 2.ª ed., Lumen, 1975.

Don Pato y Don Pito (versos para niños), Madrid, Escuela Española, 1970; 2.ª ed., 1973. (Libro recomendado para lectura en las escuelas por el Ministerio de Educación y Ciencia.)

Aurora, Brígida y Carlos (versos para párvulos), Barcelona, Lumen, 1970.

La pájara pinta (cuentos en verso), Madrid, Alcalá, 1972.

El camello-auto de los reyes magos (poemas para niños), Madrid, Igreca de Ediciones, 1973.

El hada acaramelada (poemas para niños), Madrid, Igreca de Ediciones, 1973.

Cangura para todo (trad. alemana), Jugend & Volk, Viena, 1974.

TEATRO

Prometeo. Estrenado en el Teatro de Cultura Hispánica, 1952.

El chinito Chin-cha-the. Teatro infantil.

Cuentos y poesías, escenificados en distintos teatros de Madrid.

Guiones, cuentos y poesías, emitidos por Televisión Española.

Discos

Dos canciones infantiles. (Música J. Mateo.) Columbia.

El Carpintero. (Música Ismael.) Odeón.

Cuando te nombran. (Música Ismael.) Odeón.

El Camello. (Música Ismael.) Odeón.

El Carpintero. (Música Ismael.) C.B.S. (Canta Marito.)

El Carpintero. (Música Ismael.) C.B.S. (Canta «La Pandilla.)

Cantos de amor y paz. (Música Sorozabal, hijo.) Zafiro.

Cantamos contigo (canciones para niños.) Música: Pilar Escudero. Ed. Pax.

La casa de San Jamás (La niña que no quería mentir, con la voz de Gloria Fuertes.), Zafiro (Canta «Agua Viva».)

Han herido al herido. (Premio Mejor Letra Canción de la Paz. Valladolid, 1972.) Acción. (Canta Grupo 67.) Música: Honorio Herrero.

Los unos por los otros (Villancico), (Música Paco Ibáñez.) Sonoplay.

La Gata Chundarata y el Pulpo Mecanógrafo, con la voz de Gloria Fuertes. (Audiolibro.) Ed. «CVS».

Doce poetas con sus voces. Ed. Aguilar, Madrid.

Aquí donde nos ven. (Música A. Gambino.) Ed. CFE. Zafiro.

Gloria Fuertes recita a Gloria Fuertes. Ed. CBS.

Estudios

Aunque en la mayoría de las antologías de poesía española de posguerra podrán encontrarse caracterizaciones y apuntes sobre mi poesía, pueden verse también:

Cano, José Luis, «Gloria Fuertes, poeta de guardia», *Ínsula*, 1969.

Concha, Víctor G. de la, *La poesía española de posguerra. Teoría e historia de sus movimientos*, Madrid, Prensa Española, 1973.

González, Pablo, *Poesía y vida en Gloria Fuertes*, tesis inédita, Madrid, 1975.

Grande, Félix, *Apuntes sobre poesía española de posguerra*, Madrid, Taurus, 1970.

Miró, Emilio, «Gloria Fuertes. Poesía», *Ínsula*, número 288, 1970.

Quiñones, Fernando, *Últimos rumbos de la poesía española*, Buenos Aires, Columba, 1966.

Ynduráin, Francisco, *Prólogo a Antología poética 1950-1969* de Gloria Fuertes, Barcelona, Plaza y Janés, 1970.

González Muela, Joaquín, *La nueva poesía española*, Madrid, Alcalá, 1973, págs. 13-21.

Antología
y
Poemas del suburbio

Antología

NOTA BIOGRÁFICA

Gloria Fuertes nació en Madrid
a los dos días de edad,
pues fue muy laborioso el parto de mi madre
que si se descuida muere por vivirme.
A los tres años ya sabía leer
y a los seis ya sabía mis labores.
Yo era buena y delgada,
alta y algo enferma.
A los nueve años me pilló un carro
y a los catorce me pilló la guerra;
a los quince se murió mi madre, se fue cuando
                                    [más falta me hacía.
Aprendí a regatear en las tiendas
y a ir a los pueblos por zanahorias.
Por entonces empecé con los amores,
—no digo nombres—,
gracias a eso, pude sobrellevar mi juventud de
Quise ir a la guerra, para pararla,   [barrio.
pero me detuvieron a mitad del camino.
Luego me salió una oficina,
donde trabajo como si fuera tonta,
—pero Dios y el botones saben que no lo soy—.
Escribo por las noches

y voy al campo mucho.
Todos los míos han muerto hace años
y estoy más sola que yo misma.
He publicado versos en todos los calendarios,
escribo en un periódico de niños,
y quiero comprarme a plazos una flor natural
como las que le dan a Pemán algunas veces [1].

AL BORDE

Soy alta,
en la guerra
llegué a pesar cuarenta kilos.

He estado al borde de la tuberculosis
al borde de la cárcel,
al borde de la amistad,
al borde del arte,
al borde del suicidio,
al borde de la misericordia,
al borde de la envidia,
al borde de la fama,
al borde del amor,
al borde de la playa,
y poco a poco me fue dando sueño,
y aquí estoy durmiendo al borde,
al borde de despertar.

---

[1] Este poema lo escribí en 1950. Ahora debería decir «como
los que les dan a los Murciano algunas veces».

VAMOS A VER...

Vamos a ver si es cierto que le amamos,
vamos a mirarnos por dentro un poco.

Hay cosas colgadas que a Él le lastiman,
freguemos el suelo y abramos las puertas,
que salgan las lagartijas y entren las luces.

Borremos los nombres de la lista negra,
coloquemos a nuestros enemigos encima de la
invitémosles a sopa.   [cómoda,
Toquemos las flautas de los tontos, de los sen-
                                        [cillos,
que Dios se encuentre a gusto si baja.

UN HOMBRE PREGUNTA...

¿Dónde está Dios? Se ve, o no se ve.
Si te tienen que decir donde está Dios, Dios se
                                        [marcha.
De nada vale que te diga que vive en tu garganta.
Que Dios está en las flores y en los granos, en
                        [los pájaros y en las llagas,
en lo feo, en lo triste, en el aire, en el agua;
Dios está en el mar y a veces en el templo,
Dios está en el dolor que queda y en el viejo
                                        [que pasa
en la madre que pare y en la garrapata,
en la mujer pública y en la torre de la mezquita
                                        [blanca.

Dios está en la mina y en la plaza,
es verdad que está en todas partes, pero hay que
[verle,
sin preguntar que dónde está como si fuera mi-
[neral o planta.

Quédate en silencio,
mírate la cara,
el misterio de que veas y sientas,
¿no basta?
Pasa un niño cantando,
tú le amas,
ahí está Dios.
Le tienes en la lengua cuando cantas
en la voz cuando blasfemas,
y cuando preguntas que dónde está,
esa curiosidad es Dios, que camina por tu sangre
en los ojos le tienes cuando ríes,   [amarga,
en las venas cuando amas,
ahí está Dios, en ti,
pero tienes que verle tú,
de nada vale quién te le señale,
quién te diga que está en la ermita, de nada,
has de sentirle tú,
trepando, arañando, limpiando,
las paredes de tu casa:
de nada vale que te diga que está en las manos
[de todo el que trabaja,
que se va de las manos del guerrero,
aunque éste comulgue o practique cualquier re-
[ligión dogma o rama;
huye de las manos del que reza y no ama,
del que va a misa y no enciende a los pobres ve-
[las de esperanza;
suele estar en el suburbio a altas horas de la
[madrugada,
en el hospital, y en la casa enrejada.

Dios está en eso tan sin nombre
que te sucede cuando algo te encanta,

pero de nada vale que te diga que Dios está en
cada ser que pasa.

Si te angustia ese hombre que se compra alpar-
                                           [gatas,
si te inquieta la vida del que sube y no baja,
si te olvidas de ti y de aquéllos, y te empeñas en
                                           [nada,
si sin por qué una angustia se te enquista en la
                                           [entraña,
si amaneces un día silbando a la mañana
y sonríes a todos y a todos das las gracias,
Dios está en ti, debajo mismo de tu corbata.

NO PERDAMOS EL TIEMPO

Si el mar es infinito y tiene redes,
si su música sale de la ola,
si el alba es roja y el ocaso verde,
si la selva es lujuria y la luna caricia,
si la rosa se abre y perfuma la casa,
si la niña se ríe y perfuma la vida,
si el amor va y me besa y me deja temblando.
¿Qué importancia tiene todo esto,
mientras haya en mi barrio una mesa sin patas,
un niño sin zapatos o un contable tosiendo,
un banquete de cáscaras,
un concierto de perros,
una ópera de sarna...
Debemos de inquietarnos por curar las simientes,
por vendar corazones y escribir el poema
que a todos nos contagie.
Y crear esa frase que abrace todo el mundo,
los poetas debiéramos arrancar las espadas,
inventar más colores y escribir padrenuestros.

Ir dejando las risas en las bocas del túnel,
y no decir lo íntimo, sino cantar al corro,
no cantar a la luna, no cantar a la novia,
no escribir unas décimas, no fabricar sonetos.
Debemos, pues sabemos, gritar al poderoso,
gritar eso que digo, que hay bastantes viviendo
debajo de las latas con lo puesto y aullando,
y madres que a sus hijos no peinan a diario,
y padres que madrugan y no van al teatro.
Adornar al humilde poniéndole en el hombro
                                    [nuestro verso,
cantar al que no canta y ayudarle es lo sano.
Asediar usureros, y con rara paciencia convencer-
                                    [les sin asco.
Trillar en la labranza, bajar a alguna mina,
ser buzo una semana, visitar los asilos,
las cárceles, las ruinas, jugar con los párvulos,
danzar en las leproserías.

Poetas, no perdamos el tiempo, trabajemos,
que al corazón le llega poca sangre.

A GUADALAJARA

Porque no tienes nada
yo te canto mientras me peino
igual que a Luisa canta mi hermano mientras se
                                    [afeita.

He oído decir que no tienes monumentos artísti-
que no tienes piscina   [cos,
ni siquiera acueducto romano.
Que estás allí plantada en medio de Castilla
como esperando algo que no llega.

46

Pastores sabios,
cerros con olivares,
viñas con la locura,
tocino y alcaldesa.

Yo sé que tienes algo más que esto.
Tienes minas dormidas esperando que el hombre
las toque,
manantiales de azufre debajo de las piedras,
eres la tierra madre donde nacen los ríos,
y en tu pueblo Cifuentes tienes cien manantiales,
salvajes flores la mar de aromáticas
las mejores ovejas,
escarabajos de oro y la leprosería,
Guadalajara humilde sin turistas ni metro
quién lanzó la consigna de que no tienes nada,
si tienes seis poetas que te adornan con nueces.

ORACIÓN

Que estás en la tierra Padre nuestro,
que te siento en la púa del pino,
en el torso azul del obrero,
en la niña que borda curvada
la espalda mezclando el hilo en el dedo.
Padre nuestro que estás en la tierra,
en el surco,
en el huerto,
en la mina,
en el puerto,
en el cine,
en el vino,
en la casa del médico.
Padre nuestro que estás en la tierra,
donde tienes tu gloria y tu infierno

y tu limbo que está en los cafés
donde los burgueses beben su refresco.
Padre nuestro que estás en la escuela de gratis,
y en el verdulero,
y en el que pasa hambre,
y en el poeta, — ¡nunca en el usurero! —
Padre nuestro que estás en la tierra,
en un banco del Prado leyendo,
eres ese Viejo que da migas de pan a los pájaros
[del paseo.
Padre nuestro que estás en la tierra,
en el cigarro, en el beso,
en la espiga, en el pecho
de todos los que son buenos.
Padre que habitas en cualquier sitio.
Dios que penetras en cualquier hueco,
tú que quitas la angustia, que estás en la tierra,
Padre nuestro que sí que te vemos,
los que luego te hemos de ver,
donde sea, o ahí en el cielo.

SOY ALEGRE

Soy alegre y afable en el invierno,
en el verano piso por la playa,
en el otoño pliso los visillos,
estoy como una cabra en primavera.
La ciudad me da asco.
No así el río.
Los ojos mudos de los hombres pasan.
Sólo se cose a mí este silencio
que disfruto cuando las bestias duermen.
Soy más bien buen carácter,
y nadie dice,
que desde que nací yo duermo sola.

48

SUCESO

Quiero que llegue pero no deseo
acercarme a tu voz y no quemarme.
Echo a correr, sucede que me acerco,
huyo y me coso, río y me enveneno.

Canto y tu nombre se mezcla al estribillo,
bebo y me sabe todo a llanto tuyo.
Beso y me sabe a nada no es tu boca.
Me distraigo y acuno con engaños.

Voy por las calles y tu autobús me grita,
quiero dejarlo y se pega a mis dedos,
cierro la luz y vas y te apareces.
Digo pasó, y te encuentro en la puerta.

LOS PÁJAROS ANIDAN

Los pájaros anidan en mis brazos,
en mis hombros, detrás de mis rodillas,
entre los senos tengo codornices,
los pájaros se creen que soy un árbol.
Una fuente se creen que soy los cisnes,
bajan y beben todos cuando hablo.
Las ovejas me pisan cuando pasan
y comen en mis dedos los gorriones,
se creen que yo soy tierra las hormigas
y los hombres se creen que no soy nada.

MAL SUEÑO

Yo,
con estas manos que pueden hacer hijos,
que pueden portar almas,
que pueden pastar flores,
que pueden zurcir telas,
que pueden mover lápices
y escribir crisantemos.

Yo,
que detesto la pena de muerte,
no sé lo que haría, no sé lo que haría.
Sí,
media humanidad es la que sobra:
Los fríos,
Los Samueles,
los sabuesos,
los adustos,
los contables,
los machos,
los guerreros,
los pedantes,
los que dicen:
—la mujer mi esclava.

Yo,
los miraría
por los rayos esos que he inventado
para el pecho,
y a todos los con manchas,
con cavernas,
los iría a gusto eliminando,
para nada nos sirven los perversos,

los canijos,
—son los envidiosos!

Yo,
que prefiero
monja morir
antes que asesinar un simple pájaro.
Yo, con estas manos blancas y callosas,
yo,
que detesto la pena de muerte,
no sé lo que haría.

INESPERADA VISITA

Oí un griterío
como una música que brotaba de unos instru-
                    [mentos llamados gargantas,
tras los cirios miré y vi un racimo de mosto:
Crespo Dumé Carriedo Carlos Edmundo
Pacheco Juan Iglesias Prudencio Carmen Conde,
Ramiro Oswaldo Jean y Corrie, también Dulce
                                        [María,
De Pablos Ontiveros Molina Gala Mariscal Ni-
                                        [varia,
Arroyo Leyva Nieva Los Murciano.
Puga Millán Santa María,
Pilar Paz Rebordao Pintó Pinillos Jaume,
Alarico Mario Ángel Atilano
Celaya Félix Casanova Cela Calatayud Cardona y
                                        [otros.

¡Todos venían para salvar el mundo!
Ateridos venían con la voz al descubierto.

Papeles encendidos traían como antorcha,
a ayudarme venían con sus brazos vacíos,
expuestos a morir o a perder todo;
—¡Que pasen esos chicos, son poetas!

Encendimos la lumbre del misterio
y yo los recibí en mi misma celda.

EL VENDEDOR DE PAPELES O EL POETA SIN SUERTE

—Muy barato,
para el nene y la nena,
estos cuentos de risa
y novelas de pena
¡aleluyas a diez!
Vendo versos,
liquido poesía,
—se reciben encargos
para bodas, bautizos,
peticiones de mano—,
¡aleluyas a diez!
No se vaya,
regalo poesía,
llévese este cuarteto
que aún no me estrené!
Para la madre,
para la novia,
el mejor regalo
un verso de amor!

A LO MEJOR UN DÍA...

Porque la poesía es un milagro.
Algo que puede ser y no sabemos en qué consiste,
algo así como cuando dejamos de estar enamo-
o lloramos bajito en una caja.   [rados,
No se puede decir, me voy a sentar a hacer mi-
La poesía es un misterio.   [lagros.
Misterio que es revelado al hombre cuando muere,
hay hombres que al morir se vuelven saltamontes
y escriben mejor todo.
Los poetas no vuelven.
Al Creador, de siempre le gustaron los versos;
porque como ya dije, es el mejor Poeta.
El Creador protege a los vencidos,
tiene sus preferencias el Creador: los pobres,
—este es otro misterio—,
pero también ama y compacede a los ricos.
A lo mejor un día que estéis leyendo cosas de
os convertís en pozos de licor.   [estas
porque la Poesía es un milagro!

SIEMPRE HAY ALGUIEN

Quitaros esa máscara,
la tristeza no es más que una careta,
puede durar tanto como tardes en quitártela tú
prueba.   [mismo,
Estás provocándote llanto artificial hermano,
—he dicho hermano y debí decir amante—.

Nos cogemos las manos y no decimos que se
[siente nada.
Poco a poco se va mezclando nuestra sangre en
[los encuentros.
Un buen día acabaremos por ser la misma cosa.
Libres somos.
Frecuentamos el dolor porque queremos,
como pudiéramos frecuentar el parque.
Hablamos de mutuas soledades,
hablamos de aventuras que tuvimos,
de que todo está lejos,
de que es difícil.
Y nunca hablamos de esto maravilloso que nos
[va convirtiendo en ramas.
¿Quién dijo que la melancolía es elegante?
Quitaros esa máscara de tristeza,
siempre hay motivo para cantar,
para alabar el santísimo misterio
no seamos cobardes,
corramos a decírselo a quien sea,
siempre hay alguien que amamos y nos ama.

TROZO

Van saltando los tigres de la noche
por el cuerpo rendido de la aurora.
Van los cisnes rugiendo suavemente
por el aire del agua del incienso.
Va la sangre mojando nuestra pluma
y va el hombre exprimiendo su racimo.
Va la vida a otra vida sin excusa.
Todo marcha y se empuja por asirse,
solo un terco oriental ensimismado
besándose a sí mismo a Dios le besa.

POEMA

Que no soy mística porque canto el suburbio?
Y canto el suburbio porque en él veo a Cristo.
No soy mística porque siempre me río
y siempre me río... qué me importa lo mío?
Yo no puedo pararme en la flor,
me paro en los hombres que lloran al sol.
Nadie sabe lo lírico que es,
un mendigo que pide de pie.
Nadie sabe sentir al Señor,
cantando la aguja, la mina, la hoz.
Yo me hundo en lo espiritual
haciendo un poema en el arrabal.
En lo oscuro me alumbre la vid
que lo místico mío es reír.

MENDIGOS DEL SENA

Hay muchos.
Van despacio.
Cojean.
Comen pan mojado en el Sena.
Se afeitan sin jabón mirándose allí mismo.
Los hay de todas las edades.
La mayor parte del día están echados,
fuman, fuman mucho
y ni siquiera tienen ideas de izquierdas.

Llegamos a lo más sorprendente,
también hay mendigas.

ES INÚTIL

Inútil que a estas fechas
nos empiece a dar pena de la rosa y el pájaro,
inútil que encendamos velas por los pasillos,
inútil que nos prohiban nada.
no hablar por ejemplo,
comer carne,
beber libros,
bajarnos sin pagar en el tranvía,
querer a varios seres,
fumar yerbas
decir verdades,
amar al enemigo
inútil es que nos prohiban nada.

En los diarios vienen circulares,
papeles hay pegados en la esquina
que prohiben comer pájaros fritos;
¡y no prohiben comer hombres asados,
con dientes de metralla comer hombres desnudos!
¿Por qué prohiben pájaros los mismos que con-
                                        [sienten
ejecutar el séptimo y el quinto mandamiento?
Tampoco han prohibido los niños en la guerra
y se los sigue el hombre comiendo en salsa blanca.
La «Protectora de Animales» está haciendo el
                                        [ridículo.
Tampoco han prohibido comer las inocentes pes-
                                        [cadillas,
los tiernos y purísimos corderos,
las melancólicas lubinas,
las perdices,
y qué me dices

de Mariquita Pérez [1]
que la compran abrigos de seiscientas pesetas
habiendo tanta niña sin muñeca ni ropa,
los enfermos trabajan,
los ancianos ejercen,
el opio en tal café puede comprarse
la juventud se vende,
todo esto está oficialmente permitido,
comprended y pensad nada se arregla con tener
                          [buenos sentimientos,
hay que tener arranque y ganas de gritar:
—Mientras haya guerras comeré pájaros fritos!

CRISTO

Cristo, cristal purísimo
que no se rompe nunca.
Cristo, creo en tu cruz
que nutre nuestra arteria.
Bebo debajo de tu trono de espina,
duermo en un ala de tu cruz siempreviva
y no hay por qué pedirte por los hombres,
porque todos los hombres están en tu memoria,
en tu luz desbordante que los ama sin méritos.
Sé que te desvives hasta morir de nuevo cada
                                [instante,
por los que son ingratos con los otros.

---

[1] Es una muñeca.

NACÍ EN UNA BUHARDILLA

Nací, cuando dos mil insectos en la selva nacían,
cuando la piel el tigre se lamía lustrando,
cuando la catarata ensaya un arpegio,
nací cuando mi madre pensaba en un muchacho.

Hermosa cacatúa de América me trajo,
mi tío el Chundarata que el pobre estaba loco.

Cuando empecé a entrenarme en el hilo del llanto,
mi madre repetía. —Te pareces al tío,
qué tonterías dices y qué locuras haces.

De meses, yo era, dicen, una niña delgada,
me gustaban los gatos y las sillas de mimbre,
creo que hablé muy pronto y en vez de decir
                                                    [pa-pa,
decía cosas raras en un idioma extraño.
Luego me puse enferma y tosía bajito.

Cuando yo era pequeña un pájaro muy raro,
venía a estar conmigo a mi clara buhardilla,
yo le contaba cuentos y le echaba pedazos
de pan y algún guisante y así me entretenía.

Después, como siguieron naciéndome hermanitos,
me llevaron interna a un Colegio muy triste,
donde una monja larga me tiraba pellizcos
porque en las letanías me quedaba dormida.

Me echaron del Colegio, no por desaplicada,
—se empeñaba Sor Juana en que fuera novicia—...

58

Me llevaron al mar que me asustaba tanto;
ni el doctor don Fidel siquiera me entendía...

Yo veía fantasmas y sombras con sombrilla
y langostas gigantes, tres quejidos oía...
Me tapaba los ojos y gritaba sin prisa.
Me ataban a la pata de la cama luego
y recitando versos de la Virgen al gato, me que-
                              [daba dormida...

Ahora me comprendéis alguno de vosotros,
cuando yo era pequeña, nadie me comprendía.

YO ARREGLARÍA EL MUNDO

Es necesario ver el mapamundi
con todos sus delgados largos ríos.
Es necesario ver por dónde vimos
y evitar que nos cieguen las balas.

He oído la voz de este pedazo de pan
que es lo que tengo bajo el peto
y decía, que cuando me marcho a los hangares
a destruir los monstruos hambrientos,
—mi corazón se refiere a los aviones—.
Vive empeñado el fiel corazón mío
en que yo sea como un loco soldado
y plise a los que odian con el pie de mis cantos.

Todos estáis perdidos,
picados por pecados,
los altos y los bajos tenéis algo en la voz.

Inicio cura urgente.

Empiezo por vosotros mismos trabajadores,
os escojo primero porque sufrís un poco más.

Oídme. Así. Poco a poco os iré arreglando.

LOS MESES

Enero es un viejo que viste de blanco.
Febrero es un loco que viste de tul.
Marzo llorón cuerdo.
Abril es poeta.
Mayo es invertido.
Y Junio es la siesta.
Julio es arrogante.
Agosto sensual.
Septiembre es el mar.
Octubre es un libro.
Noviembre una vela.
Diciembre es un Niño
que nace y que tiembla.

Poemas del suburbio

ORACIONES GRAMATICALES

Yo tengo esperanza.
El perro tiene hambre.
El banco del jardín respira mal.
La niña se peina.
La vaca se lame.
Las cosas me miran,
es peor si me hablan.
En el suburbio hay flores maleantes.
Las macetas son botes,
los hombres son tigres,
los niños son viejos,
los gatos se comen,
las mondas también.
Los huérfanos huelen a madre.
Los pobres a humo.
Los ricos a brea.

ENSEÑANZAS

Aprendamos por fin de las tinieblas,
de las bestias,
imitemos las formas de las flores,
de los insectos aprendamos vida
y de la hierba danza.
Conozcamos la paz de los salvajes.
Anochece la tarde;
el mendigo «echa el cierre» recoge su pañuelo,
una veinte a'la hora a veces saca.
La Luisa anda enredada con el Pepe.
Tere la castañera escupe raro
y su hijo el botones se hace golfo,
por lo demás aquí no pasa nada.
Anochece decía.
Dos ángeles al fin izan la luna
cual si fuera bandera de un partido.

NIÑO CON GANGLIOS

Tenía en su hombros dos alas de nervios,
tenía a su padre ahí en el Dueso[1].
Tosía y dormía debajo del hueco,
tenía tres bultos debajo del codo
debajo del vientre tenía un arpa
y todo él era un vidrio dormido,
dolía tocarle su cara de pito,

---

[1] Penal.

las moscas picaban sus pies planos.
La fiebre cantaba encima del cirio,
el médico dijo: No está para nada.
Danzaban los peces debajo del alba
y cuatro vecinas soplaban la lumbre,
El niño con ganglios tosió en la cazuela.

EL MENDIGO DE LOS OJOS

Una vez a la semana
llamaba con su palo a mi puerta.
—Soy el pobre de los jueves.
Yo, si estaba haciendo algo interesante,
le mandaba a la gloria para que Dios se lo diera,
y si no, yo misma, le acercaba el pan de mi cena
a los higos de mi desayuno.

El pobre de los jueves llevaba un zapato y una
una gorra con piojo,   [zapatilla,
una bufanda llena de barro
unos dedos llenos de mataduras,
un saco lleno de papeles,
un aliento lleno de vino,
una medalla del Perpetuo Socorro
y un eczema.

Y nada de esto me chocaba,
tan sólo me extrañaba a mí sus ojos,
eran de color naranja
y hacían ruido al cerrarse!

LA IDA DEL HOMBRE

Setenta años es mucho,
muero viejo,
cansado de trabajar,
dieciséis horas últimamente,
y no he ganado en toda mi vida
lo que gana un jugador en una tarde
dando patadas a un balón.
Por este bienestar, y esta armonía,
que me sube del pie a la garganta
sé que muero,
y esta tonta de mujer anda llorando,
nunca tuvo idea de los acontecimientos.
Buena vida para los dos se abre.
Noto empiezo a encogerme;
he de nacer de nuevo parido de esta madre que
                                    [es la muerte;
ya no te despertará mi tos de madrugada,
ya no pasaré más frío en la obra,
se cicatrizarán mis sabañones,
podrás desempeñar las mantas
con lo que te dé el Montepío,
mujer, hazte cargo, no es motivo que llores por
                                    [tan poca cosa.

LA ARREPENTIDA

Padre:
Hace quince días que no duermo con nadie.
Me acuso,
de no haberme ganado la vida con las manos,

de haber tenido lujo innecesario
y tres maridos, padre,
...eran maridos de otras tres mujeres.
Podía haber tenido muchos hijos.
No quiero volver a hacerlo.
Me voy a retirar del oficio.
¿Puede recomendarme algún reformatorio?
Ustedes tienen todos muy buenas influencias.
No voy a los oficios y como carne siempre.
Socorro a las sirvientas y a los pobres del barrio
                                    [no les llevo gran cosa.
También debo decirle,
que soy muy desgraciada.

POBRE DE NACIMIENTO

Señorito,
dé una limosna al mendigo,
que el hombre que le pide no le quita nada
señorito.
Que bastante desgracia tengo con no querer tra-
señorito,   [bajar,
déjele una limosna a este pobrecito.
Mire que facilidades le doy para que sea carita-
Señorito déme una perra [1]   [tivo.
que tengo tres mujeres sin poderlo ganar.
Tenga lástima o compasión,
lo que se da no se pierde.
Soy pobre de solemnidad según este recibo
José García, para servirle, sin domicilio.
Los guardias me apuntaron, para darme una casa
                                    [con grifo.

---

[1] Moneda de 5 ó 10 céntimos.

Hágase cargo de la triste situación de mi esposa
                              sin marido,
explíqueme por qué no como y por qué bebo vino,
permita que le recuerde que usted se baña se-
                              [ñorito,
tenga lástima o compasión del que nació mendigo.

Que la Virgen le acompañe, Dios le dé salud para
                              [el negocio,
almas caritativas como la suya es lo que necesita
señorito.   [la patria,

PUESTO DEL RASTRO [1]

—Hornillos eléctricos brocados bombillas
discos de Beethoven sifones de selt
tengo lamparitas de todos los precios,
ropa usada vendo en buen uso ropa
trajes de torero objetos de nácar,
miniaturas pieles libros y abanicos.
Braseros, navajas, morteros, pinturas.
Pienso para pájaros, huevos de avestruz.
Incunables tengo gusanos de seda
hay cunas de niño y gafas de sol.
Esta bicicleta aunque está oxidada es de buena
Muchas tijeritas, cintas bastidor.   [marca.
Entren a la tienda vean los armarios,
tresillos visillos mudas interiores,
hay camas cameras casi sin usar.
Artesas de pino forradas de estaño.
Güitos en conserva,
óleos de un discípulo que fue de Madrazo.

------

[1] Mercado de Madrid al aire libre donde venden de
todo, pero usado. El poema es una especie de auténtico
pregón.

Corbatas muletas botas de montar.
Maniquíes tazones cables y tachuelas.
Zapatos en buen uso, santitos a elegir,
tengo santas Teresas, San Cosmes y un San Bruno,
palanganas alfombras relojes de pared.
Pitilleras gramófonos azulejos y estufas.
Monos amaestrados, puntillas y quinqués.
Y vean la sección de libros y novelas,
la revista francesa con tomos de Verlaine,
con figuras posturas y paisajes humanos.
Cervantes Calderón el Óscar y Papini
son muy buenos autores a duro nada más.
Estatuas de Cupido en todos los tamaños
y este velazqueño tapiz de salón,
vea qué espejito, mantas casi nuevas,
sellos importantes, joyas...

LAS FLACAS MUJERES

Las flacas mujeres de los metalúrgicos
siguen pariendo en casa o en el tranvía.
Los niños van algunos a las Escuelas Municipales,
y se aprenden los ríos porque es cosa que gusta.
Las niñas van a las monjas que enseñan sus la-
                              [bores y a rezar.
De la ciudad se va borrando poco a poco la hue-
                              [lla de los morteros.
¡Han pasado tantos meses!
... ...
He visto en sueños, que hay varios señores
hablando en una mesa de divisas,
de barcos, de aviones de cornisas,
que se van a caer cuando las bombas.

Y yo pido perdón al Gran Quien Sea,
por desearles una buena caja,
con cuatro cirios de los más curiosos.

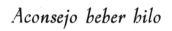

Aconsejo beber hilo

AUTOBIOGRAFÍA

A los pies de la Catedral de Burgos,
nació mi madre.
A los pies de la Catedral de Madrid,
nació mi padre.
Yo nací a los pies de mi madre
en el centro de España, una tarde.
Mi padre era obrero,
modista mi madre.
Yo quisiera haber sido del circo
y sólo soy esto.
De pequeña,
fui a un reformatorio y a un colegio gratis.
De joven fui al dolor
y en el verano a un Preventorio,
ahora voy a todas partes.
He tenido lo menos siete amores,
varios jefes malos
y apetito envidiable.
Ahora tengo, dos recordatorios
y un beso, muy de tarde en tarde.

DIOS QUE ME DA...

Dios que me da
el beleño por la noche,
el azafrán por el día,
el cantueso por la tarde.
Dios que me da,
tu presencia en el sueño,
el amor para el hambre,
la muerte para el cuerpo,
la vida para el alma,
jabón para lavarme.
Y yo le doy,
pellizcos a sus manos,
disgustos a sus curas,
y le pago con deudas.
Dios me da demasiado.
Dejadme que esta noche me horrorice.

NO DEJAN ESCRIBIR

Trabajo en un periódico
pude ser secretaria del jefe
y soy sólo mujer de la limpieza.
Sé escribir, pero en mi pueblo,
no dejan escribir a las mujeres.
Mi vida es sin sustancia,
no hago nada malo.
Vivo pobre.
Duermo en casa.

Viajo en Metro.
Ceno un caldo
y un huevo frito, para que luego digan.
Compro libros de viejo,
me meto en las tabernas,
también en los tranvías,
me cuelo en los teatros
y en los saldos me visto.
Hago una vida extraña.

LETANÍA DE LOS MONTES DE LA VIDA

Dichosos los blancos,
porque ellos son reyes de la sonrisa.
Dichosos los negros,
porque ellos tocarán la concertina.
Dichosos los niños,
semillas inocentes.
Dichosos los locos,
porque ellos beben hilo.
Dichosos los tristes,
porque tendrán salada el alma.
Dichosos los vírgenes,
porque a nadie harán mal.
Dichosos los poetas,
porque ellos morirán llorando.
Dichosos los poetas,
—esto ya lo he dicho antes—.
Dichosos los mártires,
porque murieron por amor a la humanidad.
Dichosos los prófugos,
— ¡quién fuera prófugo! —
Dichosos los ladrones,
porque ellos alcanzarán la fama.

Dichosos los cínicos,
porque ellos verán a Charlot.
Dichosos los que lloran al sol,
porque ellos verán al Gran Mongol.

DESDE SIEMPRE

Desde siempre los enamorados se cogen las ma-
[nos.
Desde siempre las frutas se cogen del árbol.
Desde siempre los niños se cogen del pecho.
Desde siempre los guardias se cogen del preso.
Y la yedra al piano
y la tapia al ciempiés.
Desde siempre mi alma cabalgando al revés.

PENA

Cuánto he sufrido hoy lunes.
Son las doce y un segundo de la noche
no es ni siquiera martes.
Esto es parecido a reventar
no es ni siquiera parto.

74

HAY UN DOLOR COLGANDO

Hay un dolor colgando del techo de mi alcoba,
hay un guante sin mano y un revólver dispuesto,
hay una exactitud en la aguja del pino
y en el icono viejo llora la Virgen Madre.
Todo esto sucede porque estamos cansados.
La vida no nos gusta y seguimos inertes
a lo mejor venimos para ser algo raro,
y a lo peor nos vamos sin haber hecho nada.
Vienen los gatos flacos con lujurias en boca
cantando eso que cantan a los pies de la urna,
y salen los espíritus debajo de la cama
cuando crecen los naipes en las manos del fauno.

AHORA...

Ahora voy a contaros,
cómo fue que los gusanos
que mantenía con hojas de morera
en una caja vacía de jabón,
se me convirtieron
en bolas alargadas de colores,
y cómo después yo los vi
transfigurarse en mariposas,
y esto sucedió porque era mayo sólo
y los insectos son así de mágicos.
Luego os contaré,
de cómo Eloísa Muro,
cuarta querida de Cervantes,
fue la que escribió el Quijote.

Porque yo, tan mínima, sé tantas cosas,
y mi cuerpo es un ojo sin fin
con el que para mi desventura veo todo.

NO TIENE QUE VER NADA

No, no tiene que ver nada,
se puede ser muy pobre
y tener una cabra.
Se puede ser mendigo
y tener una madre
que te llamase hijo.
No tiene que ver nada,
se puede ser muy rico
y tener apagada la escalera.
Se puede estar muy loco
y curarle las lepras
a los otros.
Se puede ser muy malo
y llorar como lloro en el estanco.

HE BEBIDO AGUA

He bebido agua y no era eso lo que quería.
¿Habéis probado a escribir en las paredes mien-
                                    [tras os besan?
¿Y a tener celos del siglo pasado?
Cuando esto y otras cosas os sucedan,
seguro es que amaréis como pastores.
Enseñadme a mirarlo cuando haya gente de-
no sé si podré disimular entonces.   [lante,

Déjate de canciones esta noche,
es mejor que apaguemos la luz y encendamos la
[lumbre.
Se puede ser feliz quemándote los ojos,
y con miedo a quedarte debajo del olivo,
y se puede nacer un buen día de nuevo,
tan sólo con que alguien se aprenda tu apellido.
¡Oh qué cosa tan tonta querer morir cantando,
querer pescar pelusas en vez de dormir noches!
No hay ángeles, que hay sólo sus manos en mi
[vida.

ESCRITO

Queridos tíos:

Me llevan a los baños y yo me quejo sola,
porque dicen que dejo lo blanco por lo negro,
y es que hago más falta en negro que en lo blanco,
y cazo mariposas vestida de torero.
Escribo en las paredes y lloro en los armarios
y con luz apagada me miro en los espejos.
A veces, sólo a veces, del último que llega,
porque clavo entusiasmo en todo lo que leo.
Los ruidos de la calle es lo malo.
Sólo bebo agua, sólo como jilgueros,
sólo duermo una esquina, sólo vivo un entierro.
Me quemo las rendijas, ardo en mis propios
[huesos
queriendo por el alba a dos carameleros.
La verdad es que no tengo nada de bastante,
me da por robar almas en los tranvías llenos,
me da por hacer cuadros, solicitar fantasmas,
hablar con los mendigos, rezar en los museos.
Se me olvidan las cosas y me pierdo en el Metro.

COSAS QUE ME GUSTAN

Me gusta,
divertir a la gente haciéndola pensar.
Desayunar un poco de harina de amapola,
irme lejos y sola a buscar hormigueros,
santiguarme si pasa un mendigo cantando,
ir por agua,
cazar cínifes,
escribir a mi rey a la luz de la una,
a la luz de las dos,
meterme en mi pijama
a la luz de las tres,
caer como dormida
y soñar que soy algo
que casi, casi vuela.

LO QUE PIDO

La humildad del mendigo que te tiende la mano,
la humildad de la chacha que te tiende la ropa,
la humildad de la rata que se asoma y se esconde,
la humildad del sapito que se va no sé dónde.
¡La humildad, la humildad es sólo lo que os
[pido!

NO SÉ

No sé de dónde soy.
No he nacido en ningún sitic;
yo ya estaba
cuando lo de la manzana,
por eso soy apolítica.
Menos mal que soy mujer,
y no pariré vencejos
ni se mancharán mis manos
con el olor del fusil,
menos mal que soy así...

LLANTOS NOCTURNOS

Soñé que estaba cuerda,
me desperté y vi que estaba loca.
Soñé que estaba cuerda,
                              cuerda,
tendida en mi ventana,
y en mí habían puesto a secar
las sábanas de mis llantos nocturnos.
¡Soñé que tenía un hijo!
Me desperté y vi que era una broma.
Soñé que estaba despierta,
me desperté y vi que estaba dormida.

TENGO QUE DECIROS

Tengo que deciros...
que eso del ruiseñor
es mentira.
Que el amor que sintió
era deseo.
Que la espiga no danza,
se mueve,
porque el aire la empuja.
Que estoy sola,
aunque me estáis oyendo.
Cómo duelen, me duelen, duelen mucho
las abejas que salen de mi cuerpo.
Que la luna se enciende,
no es verdad.
El pianista envenenaba a sus hermanos,
y los poetas guisan y comen y hasta odian.
Tenía que deciros...
hoy tengo algarabía.
Cuando piso el paisaje que quiero
se me llena el talle de avispas
y tengo fuerzas en los senos y en las piernas.
¡Voy a curarme!
¡La vida me sonríe como tonta!
... Todo es falso...
La verdad,
que estoy sola esperando el coche de línea.

CUESTIONES FÚNEBRES

¿Quién regará mis huesos con su llanto?
¿Quién tocará mi pelo, seco y rubio?
¿Quién irá a ver caer las paletadas
sobre mi caja de tercera?
¿Quién de vosotros cantará mis líneas?
¿Quién por la noche me arderá una vela?
Quién pudiera saber con adelanto,
quién coserá mis senos entre tanto.

LA ÚLTIMA VISITA

Yo la vi vestida de cuervos
La Muerte
iba por el hospital
afilando narices,
hundiendo ojos,
secando pechos,
poniendo al bueno malo,
haciendo al malo bueno.
La Muerte,
matando muertos.

NO SABEMOS QUÉ HACER

A veces el poeta
no sabe si coger la hoja de acero,
sacar punta a su lápiz y hacerse un verso
o sacarse una vena
y hacerse un muerto.

A LO MEJOR ES BUENO

A lo mejor es bueno desesperarse mucho y acos-
                              [tarse temprano.
Quizá es bueno tenderse encima de la vía;
y esconderse a menudo debajo de la cama.
Quién sabe si el gorrión la pía por ser hombre,
y puede ser que el toro quiera ser alcaldesa.
Nada sabemos casi: el cáncer no se cura,
la guerra no se para,
la guerra nos separa hermanos negros, amarillos,
                              [de todos los colores.
¡Cuánto os quiero!
A lo mejor es bueno desesperarse mucho.

MELANCOLÍA DEL MENDIGO

He mirado al mendigo mucho más que otras
                                        [veces,
lo mejor del mendigo es su pelo y su mano,
su mano se desliza por el aire cuchillo
y se clava en tu pecho y te pincha temblando.
El mendigo del puerto tiene sabiduría,
en esa mano larga que te tiende cortante,
él ya sabe la frase, según vengas o vayas,
a unos: por amor de Dios...... Y a otros: salud,
—según te ve el pelaje—.   [hermano
El mendigo en su choza tiene discos antiguos,
un reloj sin manillas y un ave disecada;
el mendigo es un ente sabihondo y profundo
y tiene una querida que llorar al recitar.

CUARTO DE SOLTERA

Por mi casa sin amo
suena un instrumento que aún no se ha inventado.
Y alguna vez consigo ver a un diablo
con una regadera llena de vino blanco.
De noche, alguien se queja por mi lado.
¡Aves del otro mundo
se vienen a morir a mi tejado!
De madrugada, el silencio es demasiado.
Luego vuelve a sonar el instrumento desafinado.
¡Mi cuarto de soltera está embrujado!

De todas sus esquinas salen llantos
de niños recién manipulados.
Todo esto sucede y otras cosas
en mi casa sin amo.

YA LA TARDE SE PASA

Ya la tarde se pasa como un huevo dormido.
Ya la célebre mosca corretea indecisa,
no la sienta el invierno y se da con las cosas.
¡Qué alegría produce cuando muere la mosca!
El viento canta nanas en los cables tendidos,
en la acacia sin hojas y en los postes helados,
la luna poco a poco va quedándose muerta,
su color, como el de todos los muertos, es blanco.
El tranvía da gritos —lleva doble de carga—;
en la esquina hay un hombre que se va hacia los
[lados,
dos perros amorosos,
        el verdulero tira naranjas con gusanos;
mi ventana es un cine. ¡Hay que ver lo que veo!
Ya vuelvo a estar a oscuras, el día se evapora,
me duele la cabeza por debajo del pelo,
debo estar hecha polvo. Mi médico es un cafre,
¡cree que voy mejorando por recetarme huevos!

SON COMO CONSEJOS

Estás —que no eres—.
La vida no es
si no se la alumbra
con beso en la pared.

84

Cuando el sol se apague...
¡Comienza a poder!
En tu primer paso
comienza a ascender.
Cuando el alma entra,
comienza el placer.
Y si te enamoras,
comienzas a ser.
Y si no te quiere,
comienza la hiel.
Cuando el sol se apague...
¡Comienza a beber!

NÚMEROS COMPARADOS

Cuéntame un cuento de números,
háblame del dos y el tres
—del ocho que es al revés
igual que yo del derecho—.
Cuéntame tú qué te han hecho
el nueve, el cinco y el cuatro
para que los quieras tanto;
anda pronto, cuéntame.
Dime ese tres que parece
los senos de cualquier foca;
dime, ¿de quién se enamora
ese tonto que es el tres?
Ese pato que es el dos,
está navegando siempre;
pero a mí me gusta el siete,
porque es un roto en la vida,
y como estoy descosida,
le digo a lo triste: Vete.
Cuéntame el cuento y muy lenta,
que aunque aborrezco el guarismo,
espero gozar lo mismo
si eres tú quien me lo cuenta.

PALIDUCHAS

Qué pálidas están,
son como cuartillas
flotando entre las aguas de la pena,
van y vienen riéndose o llorando;
algunas tienen hijos,
todas, greñas;
tienen la carne blanca...
Estas locas son muertas,
que las sigue latiendo el corazón
debajo de las tetas.

DISCO DE GRAMÓFONO EN UNA TARDE
DE GRAMÓFONO

Con el traje de siempre,
con la blusa de siempre,
con el pelo de siempre
y de siempre el amor,
mis tumbos entretienen
al Gran Marionetista,
y se me va saliendo
el llanto del tacón.
Cuando me aprieta todo
yo bebo, bebo siempre,
con el traje de siempre
y de siempre el amar,
el amor está amargo
y me apaga la boca

con el agua del vino,
que me ahoga al manar.
Con el ansia de siempre
vuelvo a escribir sin tino;
hay un perro sentado
que me quiere encantar.

EL DEL PEZ

Esto era un pez
sin cola y sin hiel.
Esto era un pez
sin orejas ni piel
—como una rosa
con espinas y sed—.
Era un pez ancho
que nació anteayer
y no tenía agua
donde poder
vivir lo que le dieron
de vida y de ser.
¡Ay que esto era
un tímido pez!
Rojo, muy rojo,
como un cascabel.
Tenía, tenía
nombre de mujer,
agallas de hombre,
mirada de Abel,
escamas de ave,
pico de Luzbel;
aún lo resiste
y aún vive él
cosido al pulmón
debajo el jersey.

¡Ay los coletazos
del tímido pez!
Ojitos de lince,
alma de papel.
¡Es mi corazón
sin hiel!
¡El pez!

NADIE LO SABE

Nadie lo sabe,
yo si lo sé,
la luna suena ya su pincel.
El gato piensa,
su no sé qué...
Y nos iremos...
Yo sí lo sé,
adonde estábamos sin nacer...

EL ALBA SE HA PUESTO FRÍA

El alba se ha puesto fría
como la espalda de Elena,
que se murió por la tarde
de eso que la daba a ella.
El perro del hortelano
está ladrando en la acequia
donde ayer lloré y el llanto
se me convirtió en culebra.

No me duermo y ya la noche
da zancadas por la sierra,
mientras un toro muy débil
se aparece y me cornea.

ESTOY EN UN CONVENTO

Estoy en un convento
sin paredes ni tocas...
Aquí hay bocas,
sólo puedo besarlas cuando miro;
manos, que sólo puedo apresar en despedida.

VOY HACIENDO VERSOS POR LA CALLE

Yo voy haciendo versos por la calle.
(Qué ruido, rosa, mete ese tranvía!)
¡Cuánta mujer habrá haciéndose cisco
mientras yo fumo y miro por la vida!
Voy por la noche, sabes,
haciendo versos;
tengo un dolor dormido,
no le despiertes.
¡Cállate, si te gusto,
estoy alumbrando!
¿No ves la noche que me mira como tonta?

¡LÁVAME LA CARA, QUE VOY A SER TORERO!

¡Lávame la cara, que voy a ser torero!
Límpiame el capote,
barre bien el ruedo,
peina al toro fino,
líjale los cuernos.
¡Madre,
lávame la cara, que voy a ser torero!

CRISTALES DE TU AUSENCIA

Cristales de tu ausencia acribillan mi voz,
que se esparce en la noche
por el glacial desierto de mi alcoba.
—Yo quisiera ser ángel y soy loba—.
Yo quisiera ser luminosamente tuya
y soy oscuramente mía.

ME CRUCÉ CON UN ENTIERRO...

Me crucé con un entierro
—el de la caja iba muerto—.
—¿A dónde vas? —me decía—.
—Adonde tú —respondiendo—.
Se marchaba muy tranquilo,
me quedaba sonriendo.

¿Quién va más muerto que vivo;
quién va por mejor sendero,
el de la caja o yo misma,
que todavía te quiero?

YA VES

Pensaba en los tejados y en las cejas,
en una nube igual que don Felipe,
en un atardecer bebiendo menta,
en una soledad de tipo libre.
Pensaba ...que no sé si voy o vengo,
pensaba en ¿por qué borda Salvador?
Y en las enfermedades que no tengo
pensaba, y se reía el ruiseñor.

ERA PASTOR DE GATOS...

Era pastor de gatos y tenía
una larga callada por respuesta.
Las noches las pasaba en los tejados,
jugando con las hebras.
Los gatos y las gatas le miraban,
apoyado en las cuatro chimeneas;
el pastor de los gatos se reía
por nada, o mirando a su vecina prisionera.
Era entendido en noches y sabía
sin mirar el reloj la hora que era,
y subía y bajaba su rebaño de gatos
por los campos de tejas.

Algunos aseguran que está loco,
otros que está poeta,
yo, que le trato mucho, sólo digo
que es un sabio vestido de princesa.

LA VIEJA PASITAS Y EL VIEJO PASITOS

El cuerpo de la vieja era una pasa,
las manos de la vieja eran dos pasas
dos pasas, pero suaves como rasos,
—lo que andaba el viejo era dos pasos—.
Tenían casi un siglo y eran novios;
la vieja le llamaba su Tenorio.
El viejo le miraba las encías
—la muerte les miraba noche y día—.
El viejo para andar daba pasitos,
la vieja era un reuma dando gritos;
los palos retorcidos de sus dedos
movían las agujas del lanero.
Un niño cantaba: ¡Las flores de abril!
El viejo decía: Me quiero morir,
y después tosía y gruñía al fin.

ÁRBOL DE MI VENTANA

Se tambalea, sí, se tambalea,
se tambalea el arco de la luna,
por él pasa un murciélago gritando.
Las horas caen al charco una a una.
Árbol de mi ventana, gordo y seco,
hay un nido de peces en tu tronco,

y oculto en un hueco carcomido
quiere robarle un enanito ronco.
    ¡Uy! Que apague la luz: —He descendido—,
—mi madrastra no entiende—. Soy un topo...
Sin luz yo no sé andar; ahora no encuentro
la cama ni las flores de heliotropo.
    ¡No quiero descansar! ¡No estoy cansada!
Soy joven, soy libélula de agosto,
de esas que hasta se paran en el aire
y nunca caen al charco verdecillo...

A VECES ME SUCEDE

A veces me sucede que no me pasa nada,
ni sangre ni saliva se mueve en mis canutos;
la mente se me para y el beso se me enquista
y a siglos con pelusa me saben los minutos.
El río es un idiota, un terrible obediente,
el mar sigue llamándole como a can hechizado
el mal esclavo húmedo, se arrastra por los suelos;
—ya se me están quedando los pies fríos—.
¡Qué voz triste el trapero! ¿qué tiene por su saco?
El día se despeina, la Rufa está preñada,
la vaca de Pedrito me sigue haciendo señas,
a veces me sucede que no me pasa nada...

LA TARDE INSATISFECHA

En este dedo indica si yo tuviera un ojo,
un ojo diminuto en lugar de la uña,
vería tantas tardes lo que hacen por los sitios,
mientras yo, como un gato boquiabierto, a la
                                              [luna

contaría los postes de luz como guedejas;
—me estoy medio viviendo a los pies de tu ar-
                                              [mario—,
la tarde insatisfecha bodoquea temblando,
y tú (así para que nadie sepa quién eres tú)
ni siquiera me pasas la lengua por el pelo.
Hoy la piel de mis brazos huele a muerto hechi-
                                              [zado
y mis huesos tambores salvajes bajo urna,
su sonido si tocas es un hondo gemido
que atraviesa la selva y violenta al tigre.

EL CORAZÓN, LA FRUTA DE MI PECHO

El corazón, la fruta de mi pecho,
cada día se pone más sabrosa.
Yo creo que la luna es una rosa
que huele por la tarde a mar.
    Aún cuando te veo, me emociono.
Esto dura mientras la noche pasa
—lo feo, que tu casa no es mi casa;
y sólo nuestras bocas tienen color de sangre—.
    Yo te estaba mirando ya hace tiempo,
y tú en ti me llevabas desde entonces;
qué belleza tenía por el borde
del beso aquel que supo a cualquier cosa.
    Mi cuerpo descansaba junto al río,
cuando en el firmamento de tu pecho
temblaban y brillaban cuatro lunas.
    La luna sin espejo de la noche,
la noche sin misterios por la luna,
entonces me di cuenta, tienes una
espalda tan hermosa como un ciervo.

94

POEMA SIN TON NI SON

Y se volvió loca la mujer
porque tuvo un pez.
Y porque supo amar
se volvió loca de atar.
Era blanca como sal
—era la amante del mar—.
¡Y ella loca se volvió
porque tuvo un pez al sol!

EN EL ÁRBOL DE MI PECHO

En el árbol de mi pecho
hay un pájaro encarnado.
Cuando te veo se asusta,
aletea, lanza saltos.
En el árbol de mi pecho
hay un pájaro encarnado.
Cuando te veo se asusta,
¡eres un espantapájaros!

SI MI CORAZÓN

Si mi corazón fuese un racimo.
¡Qué vino daría mi corazón!
Si tú bebieras ese vino
perderías también la razón,

se subiría mi corazón a tu cabeza
y te daría por besarme.
¡Bésame tú!
¡Lo más!

DIBUJO

Se va el muerto,
bien envuelto
en tela blanca.
Se va el muerto
y detrás de él van cantando
cosas largas.
¿Para qué cantará el hombre
si el misterio le acorrala?
Envuelto en tela negra
van cantando por la plaza,
por delante el muerto quieto,
bien envuelto en tela blanca.

EL VALIENTE

No es ése, es el otro.
El valiente está quieto.
Ni se defiende ni ataca.
Ni mata ni muere;
éste es el valiente.
El que llamáis cobarde.
El que no triunfa, gana.
El que no muerde, vence.

Ése que calla, tiene la razón.
El que confía hasta en el hombre malo,
el que se clava al cuerno del amor,
¡ése es el valiente!

AVISO

Está seco, sus ramas sin hojas,
su tronco sin ojos,
sus cables sin savia,
se mueve sin amor.
Está seco.
Nada le estremece,
por nada hasta blasfema.
La Bolsa y el Negocio
sólo le hacen vibrar.
Está seco.
Se mete en Ministerios,
administra guardillas,
rebaja los jornales,
que su vida es así.
Yo le he visto,
os advierto:
Enterrad a ese hombre cuanto antes.

OS HABÉIS FIJADO

En el frío que pasan las castañeras,
en lo viejas que son casi todas las catedrales,
en lo déspotas que son algunos,
en lo golfos que son los niños pobres,

en lo que hablan los ebanistas,
en lo bien vestida que va la mecanógrafa,
en lo caro que cuesta todo.
Yo tengo capricho por un amor nuevo,
y todos son de segunda mano,
y entre citas y flautas salen caros.
En el peligro que corren los albañiles,
tanto o más que los toreros y que los jefes de
¡Qué lástima, no os habéis fijado!   [Estado.
Y todo esto es peligroso,
muy peligroso para vuestros cómodos divanes.

LO CONFIESO

Es triste, y porque es triste, lo confieso;
aquí estoy yo y vengo voceando,
buceando, mejor, entre la niebla;
ahorcándome la voz entre los álamos.
Ganándome el sudor con este pan,
ganándome la vida con las manos,
ganándome el dolor con el placer,
ganándome la envidia con el salmo.
Ganándome la muerte con la vida,
voy consiguiendo todo sin el llanto,
que soy la mujer fuerte que se viste
y medita mirando al calendario.
Es triste, y porque es triste, lo confieso,
cuesta mucho vencerse, sin embargo,
intenta dar un beso al enemigo
verás que sale luz de tu costado.

NO TENGO NUNCA NADA

No tengo nada nunca en mi gris monedero,
tampoco nunca nada que ponerme elegante,
siempre llevo los mismos zapatos sin cordones,
y a veces fumo negro y nada importa nada.
Tengo un cristal clavado debajo de la lengua
y un nuevo ser... Observad que voy a hablaros
                              [de un nuevo ser.
¿Qué caduco ha gritado que apenas quedan
                              [almas?
Acabo de encontrarme una con halo y todo,
dice que no soy mala y yo me tiro al suelo
y golpeo la tierra con mis puños abiertos.
De pronto se ha llenado mi monedero triste,
el pelo y la mirada se me ha puesto elegante.
Al diablo mis zapatos con las bocas abiertas,
hoy tengo nueva ave en mi corral piando.

LOS MUERTOS

Es mentira eso de las apariciones,
la verdad es la otra,
la risa de los muertos.
Se saben lo que hacemos,
se vuelven a su alcoba,
se hacen sus cigarros
o se cosen sus medias;
se enteran si rezamos o no los padresnuestros,
si cumplimos fielmente lo que dejaron dicho;

son muy listos los muertos y se las saben todas.
   Los muertos personas
que heladas se quedaron
y viven en el Campo igual que las hormigas
y luego por las noches,
si no cogen el sueño,
los muertos desvelados
se salen de sus sitios
y se cantan saetas,
se sacuden gusanos,
se cuentan los cartílagos
y se vuelven al hoyo
parsimoniosamente.
   Y no les gusta nada que les tengamos pena;
los muertos tienen suerte,
están mucho más cerca del Señor.

ORACIONES GRAMATICALES

Yo tengo esperanza.
El perro tiene hambre.
El banco del jardín respira mal.
La niña se peina.
La vaca se lame.
Las cosas me miran
y es peor si me hablan.
En el suburbio hay flores maleantes,
las macetas son botes,
los hombres son tigres,
los niños son viejos,
los gatos se comen
las mondas también.
Los huérfanos huelen a madre,
los pobres a humo,
los ricos a brea.

ESTAMOS BIEN

La mañana, se pierde en la maraña.
Por la tarde los niños de la calle.
Por la noche, la radio del vecino.
La oficina me pone casi muerta.
El silencio, se esconde en la repisa.
Yo no puedo, leer una novela,
y la gata que pare en el pasillo
y mi hermano que no tiene trabajo
y la niña que llora por la esquina,
mi cuñada me pide una cebolla;
en la puerta, que llama el del recibo.
No hay quien pueda vivir cómodamente.
El tranvía no llega casi nunca
y no llega tampoco con el sueldo;
la merienda borróse de la casa;
el periódico nos dice la noticia:
se avecina la garra de la guerra,
y yo digo: ¡Pues sí, lo que faltaba!

CIRIO SIN MUERTO

Es una luz sin hojas como cirio muerto.
Es un volar palomas sobre los proyectiles,
es una verdadera revolución sin sangre,
es un no dormir nada ni vivir boca abajo.
Es como si tuviéramos un planeta en el pecho
igual que si el zapato se llenase de vidrios,
así como si un ser se nos apareciera

y moviese los labios y no dijera nada.
Yo creo que esto es algo parecido a la pena.
Yo creo que es la garra que se viste de raso
hay algo en el ambiente que me crispa los cisnes.
Y se mueren las ranas en mi pozo salobre.
Mientras tanto, Pepita se mete en un convento,
y el punzón va buscando la vena de su novio.
No estoy algo tranquila, estoy casi selvática,
los muebles se estremecen y crujen pavorosos,
me muero y me despeino y no consigo trigo,
tan sólo esta saliente joroba sin misterio.
Ha entrado una polilla y busca mis papeles.
Me voy a hacer amiga del portero esta noche,
él sabe que me escriben y no me lee las cartas;
quisiera ir al estanque a ver qué pasa al grifo,
es mejor que me esconda bajo la manta gruesa
y me quede dormida por si ahora estoy soñando.

NANA AL HIJO DE TRAPO

Duerme larva de ángel.
Duerme mientras abro
los ojos los brazos
para hacerte árbol.
Duerme que es la una.
Duerme, mi señor,
mi pequeño rey,
va siervo de Dios.
Duerme son las dos.
Duerme, cascabel,
queda poca noche,
duerme, mi doncel,
que ya son las tres.

NANA AL NENE

Duérmete, gusano, duérmete,
que los piececitos se te ven.
Duérmete, castaña, duérmete,
que Luisa, ya tiene quinqué.
Duérmete, pingüino, duérmete,
que tu cama ya tiene dosel.
Duérmete, mi oruga, que dormir,
es inmejorable cicatriz.

A X.

Por lo mismo que el gramófono me da tristeza,
me da tristeza verte.
El barrio calla y yo me acuesto.
El aire canta y yo no escucho.
Tenía que escribir.
Robé un lápiz nuevo y le saqué punta con los
                                              [dientes.
Como insistan en ello hallarás mis pedazos.
Tenía que suceder y robé un sandía para darte.

HOY NO ME ATREVO

No me atrevo a pisar por tu postigo
por si inquieto tus piedras y mis brazos se duelen.
No me atrevo a buscar por tus ojos
por si no hallo en ellos lo que busco.
No, no tengo valor para peinarte.
Y apenas puedo encontrarte en el pasillo.
Déjame tus manos...
es sólo para contar tus dedos.
Permíteme tu alma,
es sólo para tomar medidas.

ESTABA UN PAJARITO

Estaba un pajarito que al piar
se le notaba cierto malestar,
estaba prisionero en el balcón
pidiendo a gritos la revolución.
Y otro pájaro estaba en el pajar
picoteando piñones y además,
tenía libre el aire y por doquier
niñas con migas de pan en el corsé.
El pájaro feliz picoteó
y se fue a otro lugar con la canción.

CANCIÓN DE LAS LOCAS

Ya pronto vendrá,
el Juicio Final.
La vida está mala, y va a reventar.
Nosotras dormimos
en las ramas.
Las ratas recorren
el camastro.
En mi cuerpo tengo una fuente
y si quiero bebo.
Y yo si quiero enseño mis carnes.
Nosotros dormimos
en las ramas.

LA POBRE

Soy tan pobre tan pobre,
que no tengo ni madre.
Soy tan pobre tan pobre,
que no tengo ni nadie.
Que no tengo ni abrigo
que llevarme a los hombros.
No tengo ni belleza
que llevarme a los hombres.
Soy tan pobre tan pobre,
que no tengo ni labios
que llevarme a la boca.
¿Tenéis una mirada de ternura?
¿Os sobra algo de vino de la copa?

¡Un poquito de pez,
que tengo hambre...!,
Aunque sólo sea una mirada,
soy tan pobre, tan pobre,
que no tengo una sábana blanca...
pero si no la tengo no te vayas.
No tengo un hombro donde llorar a gusto.
No tengo un hombre donde zurcir palabras.
Unas manos, por caridad,
para las mías largas,
que tengo a mi corazón enfermo
y no tengo que darle una cucharada.

VICENTE ERA VIDENTE

Vicente era vidente
y tenía
tan sólo una manía,
que le daba por jugar a la taba
y se dormía
sentado en una silla.
Tan sólo con un ave
se sonríe.
Tan sólo con un cuenco
se mantiene,
Vicente va descalzo,
pero tiene
tan sólo un hijo tuerto.
Los ojos de Vicente
por el puente
pasean escuchando
los lamentos,
Vicente se da cuenta
del momento
y pide de rodillas por el mundo.

Las ranas y los cínifes zumbaban,
zumbaba más el hambre por las piernas,
el frío le zumbaba en el costado,
cuando él seguía en pie viéndolo todo.
Le dijo a la vecina:
—Se avecina...
Llegó por fin la hora,
se mejora.
Las luces que yo veo por las noches,
no son faros de coches.
Vicente el buen vidente no bebía,
tan sólo se tomaba gaseosa,
había lenguas malas que decían,
que siempre estaba el hombre con la copa,
citaba a los del barrio y les contaba:
—Vosotros sois los hombres de más suerte,
que Dios os quiere casi más que a aquellos
y hablando de estas cosas se dormía,
sentado en una silla.

LOS BUENOS

¡Qué buenos los carreteros
que no pegan a las mulas en las cuestas!
¡Qué buenos los catedráticos que pegan!
¡Qué buenos los fumistas que no blasfeman
y qué buenos los locos que comen hierba!
Los ladrones robando, ¡qué buenas piezas!
Los que nacen saltando, ¡qué buena estrella!
¿Por qué tenéis esa cara de calaveras,
si hay muchos buenos sueltos?
                    ¡Enhorabuena!

PALOMAS

Mis manos son dos aves,
a lo mejor palomas.
Que buscan por el aire
una luz en la sombra.
Mis manos al mirarte,
quedaron pensativas,
yo temo que enloquezcan
si es que en ti no se posan.

TANGO

Con humo
se aleja
la abeja.
Con humo
se saca
la miel.
Con humo
se aleja
la abeja,
con flores,
se vuelve
a traer.
Ya es vieja
la abeja
pelleja.
La oveja
no quiere

pacer.
Se queja
la oveja
en la reja.
Se aleja
la oveja
sin hiel.

ESTOY MÁS BIEN MAL

Estoy más bien mal
como pájaro en la mano de un niño,
como pez en la playa,
ˉomo huérfano en asilo.
Estoy mal sin amor.
Sin buen amor,
porque cerveza tengo
cuando lo quiera yo.

SIEMPRE PASA

Cuando estamos ahogados de ceniza
y nos crujen los huesos de la espalda
y nos riñen los jefes sin mirarnos.
Cuando estamos dispuestos para todo
y hacemos letanía del suicidio.
Vemos, que el silencio ha bajado,
que nos tienden un cable
que nos peinan el pelo
que suenan campanillas
que nos besan los brazos,

si también os sucede, alegraos amigos,
hay una especie de ángel
sentado con nosotros.

SAN FRANCISCO

Viene el Santo delgadito
con su nube de mosquitos.
Le guardan las espaldas los mendigos
y los pájaros le abrigan del río.
Con los ojos malos viene San Francisco,
con el cuerpo enfermo y el alma hecha cisco.
Con los animales habla San Francisco
y el hermano lobo se traga el mordisco.
Lleva toda rota túnica que, lleva,
yo le llevo un saco para echarle piezas.
Lleva todas rotas las manos y piernas
y medio vacía va la limosnera.
Si sube la fiebre se acuesta en la piedra.
Se va el Santo delgadito con su nube de mosquitos
le guardan las espaldas los mendigos
y los peces se ahogan por salir a despedirlo.

HUMO EN LOS ÁRBOLES

Vi llenos de humo los árboles,
ese humo no es libre hasta que ellos se queman;
los árboles abren sus brazos y temen
al trueno y al hombre que riega sus ecos.
Vi llenos de humo los árboles secos;
rebosando alma mis brazos remen

110

hacia la hoguera de aquel cementerio de hombres como muñecos.
de hombres como muñecos.
 Mi cuerpo frágil de alma lleno,
mi alma presa hasta que yo me encienda
y ella pueda escaparse por mi seno,
marcha de mala gana por mi senda,
pensando en lo que es malo, pero bueno,
yo sangro por pecar y ella es la venda.

TENGO UN NO SÉ SÍ...

Tengo un no sé sí.
Debajo de mi mano tengo un pequeño tigre,
tengo sólo veinte uñas y sólo veinte años
y una luz que me sale de mi ojo derecho.
También tengo un piano, con floreros encima.
Para usarlas de noche
llevo en mí varias cosas
y una melena lisa que me peino deprisa.
Lo trágico, lo trágico
¿es que véis estos pasos con que danzo?
Pues no son míos.
Es que hay un niño siempre muy triste en mi
                                    [tabaco.

PALABRAS Y NÚMEROS

En el cielo una luna se divierte.
En el suelo dos bueyes van cansados.
En el borde del río nace el musgo.
En el pozo hay tres peces condenados.

111

En el seco sendero hay cuatro olivos,
en el peral pequeño cinco pájaros,
seis ovejas en el redil del pobre
—en su zurrón duermen siete pecados—.
Ocho meses tarda en nacer trigo,
nueve días tan sólo el cucaracho;
diez estrellas cuento junto al chopo.
Once años tenía,
doce meses hace que te espero;
por este paraguas trece duros pago.

NIÑO FLACO

Al niño flaco,
todo se le vuelven pupas.
Al niño flaco,
le llevan a ver por rayos.
Y dice el doctor:
Que pase su padre.
Y dice la madre:
Que no tiene padre.
El niño delgado,
las piernas se lame.
El niño delgado,
no acude al certamen.
El niño no crece,
ni juega con nadie.
El niño no muere,
ni vive ni nada.

CARTA

Queridos pobres:

Recibí todas vuestras cartas,
las que no me habéis escrito llegaron,
por el aire que viene de las casas baratas,
por el aire que viene de la aldea,
por el aire que viene de la fábrica,
por el aire que viene de la mina,
por el aire que viene de la barca,
elegidos ciudadanos sencillos, sé todo lo que os
 Los que tenéis oficio,   [pasa.
los que pisáis andamio,
los que con la herramienta os herís a lo tonto,
los que andáis por el agua de Valencia,
los que hacéis el arroz o los garbanzos,
los que dormís de día y por la noche
en la barca a cogernos el pescado.
 Recibí vuestras cartas labradores,
vendimiadores recibí vuestros salmos
y pescadores también vuestras noticias,
sé todo lo que hacéis y lo que os pasa siento,
quedo enterada de que algunos jornales han su-
y aún nos os llega;   [bido
y os llego como sé el agua al cuello,
y la voz nunca os llega a no ser mía,
pero os llega el trabajo a la mañana
y la salud al cuerpo
y el hijo otra vez, enhorabuena.
 Yo no puedo de lo que me decís haceros nada.
Tan sólo recordaros que ya el hombre de libros
      [está en ello,
que os dibuja mis pobres, que os entiende,

que se quiere ocupar de todo eso, que decís en
                         [vuestras cortas cartas,
y escribirán a los ministros.
   Y nada más por hoy pobres amigos,
lo mejor de la vida sois, lo que la alza.
También entráis vosotros los que vais a oficina,
los que vendéis verduras y los que hacéis las
                                        [casas
los que guiáis los coches, los que regáis con agua,
pobres de mil oficios no estáis solos
              aquí un poeta os canta,
              luego vendrán más.

SI ME VOY

Si me voy,
ya he tenido amigos en los lagos
y he sentido
sentir un amor malo.
He tenido
los besos más grandes en mis brazos.
Y he sufrido
la muerte de un amor apagado.
En mis citas conmigo,
masqué la vida cruda,
fume yerbas extrañas,
y al penetrar de noche en mi casa pagada,
mi cuarto estaba lleno de cuadros mal colgados.

NO SÉ POR QUÉ ME QUEJO...

No sé por qué me quejo porque al fin estoy sola.
Y el placer de tirar la ceniza en el suelo,
                              sin que nadie te riña.
Y untar pan en la salsa
y beberse los posos,
y limpiarse la boca con el dorso de la mano,

cantar al vagabundo porque al fin fue valiente,
ir matando los besos como si fueran piojos,
beber blanco,
pronunciar ciertas frases
decir ciertas palabras,
exponerte a que un día te borren de la nómina...
No debiera estar seria
pues vivo como quiero,
sólo que a veces tengo,
un leve sarpullido.

GUÍA COMERCIAL

No hay nada.
No hay nada como la sed.
El mejor vino, el agua.
La mejor muerte en camas «Ver», camas «Ver»
portada a todo color.
—Nunca se es viejo.
Treinta y cinco años los tiene cualquiera.
¿Para ver bien? El mar.

No deje de reír con «La tortolica y el mambo».
Nuevos métodos, siempre nuevos métodos.
Si su hijo llora, es porque sabe lo que le va a
Corbatas para suicidas. Pronto.   [pasar.
Casa Amelia, caballeros, pensión completa.
Guantes para mendigos en Gil.
Novelas avanzadas, librería Popular.
Cuesta.
Flores artificiales,
flores para muertos,
flores para bodas,
para regalos.
La mejor música el silencio.

MI VECINO

El albañil llegó de su jornada
con su jornal enclenque y con sus puntos.
Bajaron a la tienda a por harina,
hicieron unas gachas con tocino,
pusiéronlo a enfriar en la ventana,
la cazuela se cayó al patio.
El obrero tosió:
—Como Gloria se entere,
esta noche cenamos Poesía.

Todo asusta

TODO ASUSTA

Asusta que la flor se pase pronto.
Asusta querer mucho y que te quieran.
Asusta ver a un niño cara de hombre,
asusta que la noche...
que se tiemble por nada,
que se ría por nada asusta mucho.
Asusta que la paz por los jardines
asome sus orejas de colores,
asusta porque es mayo y es buen tiempo,
asusta por si pasa sobre todo,
asusta lo completo, lo posible,
la demasiada luz, la cobardía,
la gente que se casa, la tormenta,
los aires que se forman y la lluvia.
Los ruidos que en la noche nadie hace
—la silla vacía siempre cruje—,
asusta la maldad y la alegría,
el dolor, la serpiente, el mar, el libro,
asusta ser feliz, asusta el fuego,
sobrecoge la paz, se teme algo,
asusta todo trigo, todo pobre,
lo mejor, no sentarse en una silla.

CARTA DE MI PADRE A SU ABUELO

Aquí me tienes Pedro,
en este extraño mundo,
en donde ni siquiera
los ricos son felices.
Ya se han inventado las locomotoras,
las vitaminas y la leche en polvo.
Cambiamos de gobierno y nada se mejora.
En el solar de enfrente,
han hecho un conventillo
donde las monjas oran por nosotros,
—en el jardín tienen manzanas que no pueden
                                              [comer—.
Mientras en Madrid quede un organillo...
Tus volúmenes de ética los vendí en la postguerra
y tan sólo conservo tu reloj de papel.
Los chicos han crecido y quieren ser actores.
María se ha casado y Gloria escribe versos.
Yo tengo una bronquitis que me acerca a tu lado,
hasta pronto te digo, adiós abuelo Pedro.

MIRADME AQUÍ

Miradme aquí,
clavada en una silla,
escribiendo una carta a las palomas.
Miradme aquí,
que ahora podéis mirarme,
cantando estoy y me acompaño sola.

Clarividencias me rodean
y sapos hurgan en los rincones,
los amigos huyen porque yo no hago ruido
y saben que en mi piel hay un fantasma.
Me alimento de cosas que no como,
echo al correo cartas que no escribo
y dispongo de siglos venideros.
Es sobrenatural que ame las rosas.
Es peligroso el mar si no sé nada,
peligroso el amor si no se nada.
Me preguntan los hombres con sus ojos,
las madres me preguntan con sus hijos,
los árboles me insisten con sus hojas
y el grito es torrencial
y el trueno es hilo de voz
y me coso las carnes con mi hilo de voz:
¡Si no sé nada!

DIOS AHOGA PERO NO APRIETA

Dios ahoga pero no aprieta.
No te adula pero te defiende.
El hombre te alza y te deja caer,
Dios te deja caer sin alzarte.
Siempre está sobre aviso;
luego te quita el dolor y te pone la cena
—otras veces te pone el dolor y te quita la vida—.
Está lleno de sabiduría y de paciencia,
sobre todo de paciencia con los perversos,
—perverso quiere decir mal intencionado—.
No es un señor con barba,
no es una paloma,
es todo lo que vemos, lo que oímos, lo que to-
                                        [camos,
aunque parezca mentira Dios existe!

121

¿SUICIDA?

Le hacían mucho daño los conflictos,
las listas de muertos le enfermaban.
Las pequeñas insidias que veía
le lanzaban al pozo del insomnio.
Le estaba grande el mundo,
le sobraba.
Recibía regalos mortales de los compañeros,
de los amigos palabras venenosas,
risas, que casi no eran.
Le fuimos suicidando poco a poco.
y era buena persona.

TENER UN HIJO HOY...

Tener un hijo hoy...
para echarle a las manos de los hombres
—si fuera para echarle a las manos de Dios—.
Tener un hijo hoy,
para echarle en la boca del cañón,
abandonarle en la puerta del Dolor,
tirarle al agua de la confusión.
Tener un hijo hoy,
para que pase hambre y sol,
para que no escuche mi voz,
para que luego aprenda la instrucción.
Tener un hijo hoy,
para que le hagan ciego de pasión
o víctima de persecución,

para testigo de la destrucción.
Tener un hijo hoy...
Con él dentro voy,
donde ni él mismo se puede herir,
dónde sólo Dios le hará morir.

MIS QUERIDOS DIFUNTOS

Mis queridos difuntos, me despido,
creedme fui feliz a vuestro lado,
os devuelvo la luz que me prestasteis,
os devuelvo el sudario.
Quedad con Dios,
regreso al mundo,
al mundo de los hombres y los autos,
Dios me manda de nuevo a darles risa,
marcho recomendada al Sindicato,
a ser «peón de circo» me propongo.
El que no se conmueva, que no pase,
y si alguien tiene prisa, que se vaya.
¡Cuidado!, no acercaros que resucitáis.
Mis queridos difuntos, hasta luego.

ACCIÓN DE GRACIAS

Gracias por haberme hecho ser humano,
podías haberme hecho rana o vaso,
y habría que verme de rana
gorda y cantando,
o vaso de vidrio barato.
Podías haberme hecho nube de paso

o triste tortuga o lagarto
y me hiciste poeta y despacio.
Gracias por no haberme hecho legionario.
Y además gracias por no soltarme de tu mano.

A VECES QUEDO SOLA

El porqué estoy vendada diré luego.
Tenía poca luz dentro del tipo,
—pensaba en machacar ciertos cerebros—,
vi una rosa de pronto, una rosa,
y una oruga a su lado,
y un niño abajo jugando al peón.
Había llovido,
el aire estaba limpio y daba gusto,
la vecina de abajo recibía a sus hombres,
un viejo llevaba nietos en las manos.
Otra nube llovía.
una muchacha de servir cantaba.
Entonces vi la Luz en todo esto,
Dios estaba en el aire y en la lluvia.
¡No hay derecho —grité—, a estar tan triste!
El porqué estoy vendada diré ahora:
con el puñal regalo de una amiga,
un pequeño pinchazo en este muslo
por ver si Dios me entraba por el cuerpo.

AQUÍ NO HAY NINGÚN SABIO

Aquí no hay ningún sabio.
¿Con qué verán los muertos?
¿Por qué dejan las guerras?
¿Por qué cortan los lirios?
¿a ver, quién me contesta?
¿Que hay sabios donde vivo?
Mirad cómo me muero,
mirad cómo me río.
Sabio será quien venga
y diga en la plaza,
con qué ojos ven los muertos,
por qué se muere un niño,
por qué siguen las guerras,
por qué se escriben libros.
Si con mirar las armas,
las convierte en azucarillos,
¡sabio será quien sea!

HEMOS DE PROCURAR NO MENTIR

Hemos de procurar no mentir mucho.
Sé que a veces mentimos para no hacer un muer-
                                                    [to,
para no hacer un hijo o evitar una guerra.
De pequeña mentía con mentiras de azúcar,
decía a las amigas: —Tengo cuarto de baño—
—y mi casa era pobre con el retrete fuera—.
—Mi padre es ingeniero — y era sólo fumista,
pero yo le veía ingeniero ingenioso!

Me costó la costumbre de arrancar la mentira,
me tejí este vestido de verdad que me cubre,
a veces voy desnuda.
Desde entonces me quedo sin hablar muchos días.

MIEDO DA A VECES COGER LA PLUMA

Miedo da a veces coger la pluma y ponerse a es-
[cribir,
miedo da tener miedo a tener miedo,
yo por ejemplo que nunca temí nada,
pudiera ser que un día sintiera frío,
un frío nuevo que no le da el invierno.
Es malo que te corten las alas con un palo.
Es duro que los niños no te entiendan.
Es bastante difícil ser feliz una tarde
y lo mejor para sufrir es tener una viña.
Qué mal sienta la angustia si estás desentrenado.
Cómo te quema el pelo la gente que te grita.
Es lamentable y cruel que te roben el aire.
Afortunadamente esto durará poco
y lo otro, lo otro puede ser infinito.

ESCALANDO

La Muerte estaba allí sentada al borde,
—la Muerte que yo vi no era delgada,
ni huesuda, ni fría,
ni en sudario envolvía su espesa cabellera—.
La Muerte estaba sola como siempre,
haciéndose un chaleco de ganchillo,

sentada en una piedra de la roca,
estaba distraída, no debió verme,
en seguida gritó: «¡No te tocaba!»
y se puso a tejer como una loca.
—Podrás llevarte entonces estos versos,
estas ganas de amar y este cigarro
podrás llevarte el cuerpo que me duele
pero cuidado con tocar mi alma.
A la Muerte la tengo pensativa
porque no ha conseguido entristecerme.

DE LOS PERIÓDICOS

Un guante de los largos,
siete metros de cuerda,
dos carretes de alambre,
una corona de muerto,
cuatro clavos,
cinco duros de plata
una válvula de motor
un collar de señora
unas gafas de caballero
un juguete de niño,
la campanilla de la parroquia
la vidriera del convento,
el péndulo de un reloj,
un álbum de fotografías
soldaditos de plomo
un San Antonio de escayola
dos dentaduras postizas
la ele de una máquina de escribir
y un guardapelo,
todo esto tenía el avestruz en su estómago.

ORACIÓN

Anda, pasa.
Pasa, anda,
no tengo más remedio que admitirte,
TÚ eres el que viene cuando todos se van,
El que se queda cuando todos se marchan
El que cuando todo se apaga, se enciende.
El que nunca falta.
Mírame aquí,
sentada en una silla dibujando ...
Todos se van, apenas se entretienen.
Haz que me acostumbre a las cosas de abajo.
Dame la salvadora indiferencia,
haz un milagro más,
dame la risa,
¡hazme payaso, Dios, hazme payaso!

PARECE QUE SE HA DICHO TODO

Parece que se ha dicho todo
y no se ha dicho nada.
Parece que por un encuentro
se va disipando la tristeza
y la niebla vive en nuestros brazos.
Sentémonos a orar como es debido,
dispongamos la cena en oraciones.
Una madre ha parido un nuevo niño
Dios se ha puesto de pie para mirarle.

LA VIDA ES UNA HORA

La vida es una hora,
apenas te da tiempo a amarlo todo,
a verlo todo.
La vida sabe a musgo,
sabe a poco la vida si no tienes
más manos en las manos que te dieron.
Al final escogemos un lugar peligroso,
un pretil, una vía,
la punta de un puñal donde pasar la noche.

OTROS POBRES

Hoy me entristecen otros pobres.

Dan pena los mendigos,
los mendigos de letras,
los mendigos de duda,
los mendigos de ciencia,
esos sí que dan pena.

Los que no tienen nada
duermen a pierna suelta,
en un banco, en el puente,
beben en la taberna,
dicen: «Dios se lo pague!»
se rascan una pierna,
se comen un tomate
y parecen profetas.

Mendigo es el que dice:
¿Y si Dios no existiera?

LO DESCONOCIDO ATRAE TAMBIÉN A LOS COBARDES

Delante de mi casa hay una viña
y pasa el sol delante de mi huerto
al lado del jardín reposa el río
y aquí en el corazón reposa el sueño.
Hay un jardín que da peras al olmo
y hay una paz con música de incienso.
Existe en la comarca la justicia
existen hombres puros en el techo.
Nadie tiene dolor, el aire es limpio
puedes sentarte al lado de un labriego.

Pero esto que yo digo debe estar,
detrás del cementerio.

TU PARCELA TENDRÁS

El caballo al morir tiene de todo,
el látigo se borra de su espalda!

No te acongojes hombre,
que todo, nada dura.
Cuando llegue ese día,
el de mayor sosiego,
para entonces,
siempre habrá un árbol
que nos ofrezca amable cuatro tablas;
por pobre que seas, que hayas sido,

al final se te dará palmo de tierra
para que puedas tranquilo deshacerte.
Tu parcela tendrás
y podrás disponer de aquellas flores,
que a otros muertos les lleven su familia.

NO VALE GRITAR

Hay días que el camino se hace difícil,
se estrecha por el sitio de los precipicios
y si llegas al valle te sueltan los toros.
Si estás en casa,
se te cae el techo encima y el alma a los pies.

No vale gritar.
Aquí no hay quien te eche una mano,
y si te descuidas te hacen leña.
No desmayes en el dolor,
que te pisarán al pasar.
Aviva los sentidos,
agudiza la vista,
porque estás rodeado de cazadores.
Quieren cazar el «puesto» que tienes,
el amor, o tan sólo la paz.
Amigo, ponte en guardia,
que esto de vivir es peligroso,
que puede venir alguien a pegarte,
y si te dejas...
eres un elegido,
a ti no se te pueden dar consejos!

LABRADOR

Labrador,
ya eres más de la tierra que del pueblo.
Cuando pasas, tu espalda huele a campo.
Ya barruntas la lluvia y te esponjas,
ya eres casi de barro.
De tanto arar, ya tienes dos raíces
debajo de tus pies heridos y anchos.

Madrugas, labrador, y dejas tierra
de huella sobre el sitio de tu cama,
a tu mujer le duele la cintura
por la tierra que dejas derramada.
Labrador, tienes tierra en los oídos,
entre las uñas tierra, en las entrañas;
labrador tienes chepa bajo el hombro
y es tierra acumulada,
te vas hacia la tierra siendo tierra
los terrones te tiran de la barba.

Ya no quiere que siembres más semillas,
que quiere que te siembres y te vayas,
que el hijo te releve en la tarea;
ya estás mimetizado con la parva,
estás hecho ya polvo con el polvo
de la trilla y la tralla.

Te has ganado la tierra con la tierra
no quiere verte viejo en la labranza,
te abre los brazos bella por el surco
échate en ella, labrador, descansa.

PIENSO MESA Y DIGO SILLA

Pienso mesa y digo silla,
compro pan y me lo dejo,
lo que aprendo se me olvida,
lo que pasa es que te quiero.
La trilla lo dice todo;
y el mendigo en el alero,
el pez vuela por la sala,
el toro sopla en el ruedo.
Entre Santander y Asturias
pasa un río, pasa un ciervo,
pasa un rebaño de santas,
pasa un peso.
Entre mi sangre y el llanto
hay un puente muy pequeño,
y por él no pasa nada,
lo que pasa es que te quiero.

YA VES QUÉ TONTERÍA

Ya ves qué tontería,
me gusta escribir tu nombre,
llenar papeles con tu nombre,
llenar el aire con tu nombre;
decir a los niños tu nombre,
escribir a mi padre muerto
y contarle que te llamas así.
Me creo que siempre que lo digo me oyes.
Me creo que da buena suerte:

Voy por las calles tan contenta
y no llevo encima nada más que tu nombre.

AVISO A LOS GOBERNANTES DEL MUNDO

Me dirijo a Vuestras Ilustrísimas
para deciros que en mi barrio hay peste,
que se han venido todos los mendigos
a refugiarse bajo el puente roto,
—cuando venga el calor no habrá quien pare—
Parece ser que quieren armar una
contra el Alcalde que no les da una casa,
están enfermos y viven en las cuevas
y les caen montocitos cuando duermen.
Dicen que van a ir en una noche
a vuestra tumba a colocaros... flores
y yo lo aviso a Vuestras Ilustrísimas
porque soy pacifista y no me atrevo
a silenciarlo aunque lo creo justo.

Os aviso Ilustrísimas peligro corréis
porque esta gente está borracha.
De nada vale el bando recién dado,
de nada no dar vino en las tabernas,
de nada que haya pan en el comercio,
de nada que prohíban los desfiles,
de nada que recojan la verbena,
es mejor que supendan los mendigos.

FICHA INGRESO HOSPITAL GENERAL

Nombre: Antonio Martín Cruz.
Domicilio: Vivía en una alcantarilla.
Profesión: Obrero sin trabajo.
OBSERVACIONES: Le encontraron moribundo.
Padecía: Hambre

YA LO SABÉIS...

Ya lo sabéis, del niño flaco,
de la castañera que pasa frío,
del albañil que pasa andamio,
del minero que no sube,
de la luna que no baja,
del rico que no sabe lo que es ser pobre,
del pobre que no sabe lo que es ser rico,
de la modista que se deshace el dedo índice de la
                 [mano izquierda
y la columna vertebral,
de la prostituta, de la chacha, del preso, del en-
                        [fermo,
del hombre que quisiera casarse y yo no quiero
de la amiga que me quiere,
de la otra amistad que me quiere,
a todos amo,
de todos me compadezco
y de mí? ¿Quién tiene pena de mí esta noche?

ES OBLIGATORIO...

Es obligatorio tener mitos
y yo gustosa desobedezco,
gustosa me plancho las blusas,
cuando tengo tiempo,
porque antes es hablar con los amigos.
Es obligatorio presentarse con buenas ropas,
con buenas obras —no interesa tanto—,
Es obligatorio no asomarse a la ventanilla,
porque tienes que estar vivo si organizan la
                                        [guerra.
Es obligatorio silenciar que hay tumultos
porque pueden echarte del trabajo,
y si cantas verdades la celda te preparan,
te preparan el llanto, porque es obligatorio...
sufrir siendo persona,
guardar rencor,
adular al pedante,
llevar medias en los templos,
tener bastantes hijos,
volver mañana,
tener enemigos,
es obligatorio todo esto,
y encima te prohiben escupir en el suelo.

RESULTA, QUE DIOS ESTÁ DESNUDO

No puedo dejaros así,
dejaros de la mano tan a oscuras,
por aquí,
seguid a mis palabras, un momento...
Los que echais un borrón de tinta sobre la estam-
                              [pa de una muchacha
con los senos al aire;
mis religiosos murmuradores,
dejad de tejer vuestro ganchillo de censuras.
Oh mis venenosas y dulces viejecitas beatas,
ya teneis edad para comprender.
Qué fácil es verle cuando no se hace daño.
Resulta, que Dios está desnudo
el que no quiera verle que no mire.

HAGO VERSOS, SEÑORES!

Hago versos señores, hago versos,
pero no me gusta que me llamen poetisa,
me gusta el vino como a los albañiles
y tengo una asistenta que habla sola.
Este mundo resulta divertido,
pasan cosas señores que no expongo,
se dan casos, aunque nunca se dan casas
a los pobres que no pueden dar traspaso.
Sigue habiendo solteras con su perro,
sigue habiendo casados con querida
a los déspotas duros nadie les dice nada,
y leemos que hay muertos y pasamos la hoja,
y nos pisan el cuello y nadie se levanta,
y nos odia la gente y decimos: ¡la vida!
Esto pasa señores y yo debo decirlo.

Ni tiro, ni veneno, ni navaja

TELEGRAMAS DE URGENCIA ESCRIBO

Escribo, más que cantar cuento cosas.
Destino: La Humanidad.
Ingredientes: Mucha pena
              mucha rabia
              algo de sal.
Forma: ya nace con ella.
Fondo: que consiga emocionar.
Música: la que el verso toca
     —según lo que va a bailar—
Técnica: (¡Qué aburrimiento!)
Color: calor natural.
        Hay que echarle corazón,
        la verdad de la verdad,
        la magia de la mentira
        —no es necesario inventar—.
        Y así contar lo que pasa
        —¡nunca sílabas contar!—.
        Y nace sólo el poema...
        Y luego la habilidad
        de poner aquello en claro
        si nace sin claridad.

DATE

Para el vértigo interior
para ahogar el soliloquio
¡Salta!
¡Salte de ti mismo!,
mira en torno
no hay abismo,

—no hay abismo
como el tuyo
en ti metido—.
Ebro,
abre la ventana de la casa
tírala por la ventana,
hiere,
ara,
la tierra espera
y ese que pasa.
Desenciérrate.
¡Salte!
¡Salta!
de contento o júbilo
—la oveja vale si bala—
—la abeja vale si vuela—,
ve,
de vecino a vecino
de patio a almena,
pregunta aconseja date
—nunca por vencido—
¡Salta!
¡Salte de ti mismo!
    Tu amargura será miel,
    tu monólogo canción
y tu lóbrega campana
            cascabel!
¡Salta, salte
que te esperan
ella o él!

A LA MUERTE

Muerte: idioma inédito,
   absurdo, intraducible,
   palo en la cresta
   diplodocus, graja,
   quitameriendas,
   turmis,
   chupa sangre,
   come colores,
   lava.
   Ubre de palidez,
   leche de cera,
   solapada sin sol,
   ¡hipocritilla!
   —sabes lo de después
   y no lo dices—,
   haces más daño al vivo que al que matas,
   llevándote los vivos de los muertos.
   Amiga de lo ajeno,
   ¡lame tumbas!
   loquita filahuésica incansable,
   apañada trapera delincuente,
   viciosa tejepena.
   A tus hornos de tufo clandestinos
   a tu siniestra Biblioteca Grave
   con millones de álbumes repletos
   a donde por su pie nadie ha invadido
   sin documentación reglamentaria,
   ¡Vete!
   archivera asquerosa de partidas
   de defunción y de las otras.
   ¡Muerta!

DENTRO

Dentro dentro, no fuera, dentro.
Me organizan dentro
tormentas y tormentos,
por lo tanto,
naufragio caos espanto.
Crímenes —en nombre del amor—.
Robos —también me roban—.
Palos —me pegan palos,
palo va y palo viene—.
Dentro dentro
arreglar esto,
poner a punto mi mundo,
dentro dentro.
Nunca yo,
nunca yo misma de mí me preocupaba,
y hoy tengo que empezar a defenderme
contra estas hordas que han entrado al alma,
—olvidarme de mí sería una canallada—.

ME DUELE EL ALMA MÁS AÚN QUE EL CUERPO

Me duele el alma más aún que el cuerpo
me decía un leproso enamorado;
me duele allí, allí en el costado
del mar donde mi amor habita.
Me duele la distancia, es infinita
para mí ya sin piernas desahuciado
me duele más su pena que mis costras
me duele más la suya que mi cortada mano.

SOCIEDAD DE AMIGOS Y PROTECTORES

Sociedad de Amigos y Protectores
de Espectros Fantasmas y Trasgos.

Muy señores suyos:
Tengo el disgusto de comunicarles
que tengo en casa y a su disposición
un fantasma pequeño
de unos dos muertos de edad,
que habla polaco y dice ser el espíritu del
[Gengis Kan.
Viste sábana blanca de pesca
con matrícula de Uranio
y lleva un siete en el dobladillo
que me da miedo zurcírselo
porque no se está quieto.

Aparace al atardecer,
o de mañana si el día está nublado
y por las noches cabalga por mis hombros
o se mete en mi cabeza a machacar nueces.
Con mi perro se lleva a matar
y a mí me está destrozando los nervios.
Dice que no se va porque no le da la gana.

Todos los días hace que se me vaya la leche,
me esconde el cepillo la paz y las tijeras;
si alguna vez tengo la suerte
de conciliar el sueño,
ulula desgañitándose por el desván.
Ruego a ustedes manden lo que tengan que
[mandar,
y se lleven de mi honesto pisito
a dicho ente,
antes de que le coja cariño.

NI TIRO, NI VENENO, NI NAVAJA...

La esperanza me desespera;
desesperada espero todavía,
de una noche yo no puedo hacer un día
disfrazar la manzana en una pera.
Lo difícil me atrae, es mi bandera,
lucho a golpes de amor por una espina
—la rosa no interesa— la divina
adivina primavera.
Ni tiro ni veneno ni navaja,
teniendo que tener un amor vivo
del cielo no me baja la mortaja.
El destino me gana con destreza
yo espero a la final ir de cabeza
mientras lo fácil se ahoga en la tinaja.
La vida es un maldito sube y baja.
un baja y sube que destrenza paces,
y sólo lo haces bien si el amor haces
—sin amor es peor que estar en caja—.
La persona elegida se te raja
a hacer feliz tu vida y no te deja
se goza y extasía con tu queja
y viga es hoy su paja.
En vista de lo visto me desvisto
me desnudo a mí misma y me mantengo,
me encanta este tener lo que no tengo
—yo no tengo la culpa Dios existe—
debe ser que lo quiere que yo quiera
hacer lo que a un humano se resiste,
debe ser que la goza en mi despiste,
debe ser que me tiende una escalera.

NANA AL NIÑO QUE NACIÓ MUERTO

Original persona pequeñita
que al contrario de todos
no has nacido.
Vívete niño vívete
que viene el Coco
y se lleva a los niños
que viven poco.
Late un momento rey
—la madre dice—
deja que me dé tiempo
a que te bautice.
Te iba a poner Tomás,
y ya te vas.
¿Para qué habrás venido
sin más ni más?
¡Qué frío tienes hijo
sin un temblor,
creo que dentro estabas
mucho mejor!
—en el lago de llanto
de tu madre
jugabas en la orilla...—
¡Que el demonio se lleve
tu canastilla!

—Tiene ojos de listo,
es un pequeño sabio,
—y otra vecina dijo:
de buena se ha librado.
Pequeño criminal
dulce adversario
—sin nacer ni morir
a tu madre has matado—,

mientras tú,
mi niño diferente
ni blanco ni negro
mientras tú
échate un sueño largo
mi niño azul.

EL PASILLO ES TAN LARGO...

Tenía doce años lo recuerdo
cuando entré a trabajar con la Tristeza,
—poco sueldo me daba y he robado
haciéndola traición con la Alegría—.

Yo sé que están buscando para echarme
asistenta —inútil sin informes— y no encuentran,
porque...
el pasillo es tan largo...
aunque no hay niños
hay que lavar tanta cortina sin ventana,
fregar tanto cielo
echar la ropa en llanto
sacar brillo al dolor
después la compra
—donde nadie te fía—.

Y no encuentran.

Me quedaré sisando,
ahorrando,
para hacerme yo mi casa sin techo ni pasillo
como un árbol.

148

LA VIDA A VECES ES UN RÍO FRÍO Y SECO
Y POR LO TANTO TRISTE

Para pasar el río frío y seco,
para cruzar el mar mayor de Ausencia,
para este trago malo,
    gargarismos de fe.

La soledad de hoy para anteanoche,
como no hay mucha luz en el presente,
gocemos precozmente del futuro,
para hoy las sonrisas de mañana.

Robemos los racimos,
los han puesto al alcance de la mano
—y la Esperanza tiene más alcohol que la uva—.

Para pasar el río frío y seco
    « ¡Venga alegría
señores venga alegría...! »
¡Emborrachémonos
para la travesía!

AQUEL SILENCIO

Cuántas veces Dios se acordará
de aquel Silencio de antes,
de aquel silencio que hubo que ni Dios aguantaba,
—el silencio culpable de que estemos ahora—,
cuando perdió su calma y arañando la tierra co-
                [gió barro y nos hizo,

y se acabó el silencio,
y empezó el alarido
sólo a veces variado por un piar muy leve
cuando amamos dormidos.

LOS MUERTOS

Los muertos no andan ni vuelan ni flotan,
ni pesan,
ni les pesa...
ni piensan
—ni pensamos—
inanimados «incuerpables» invisibles,
nos absorbe el laberinto
nos perdemos,
nos perdemos de los otros
ya sin nada sin nosotros
como un trapo
como un hilo
como un átomo en puré,
sin memoria sin recuerdos
nos caemos sin caernos
                        —es un caer—...
Es un caer sin estrellarse nunca,
eso es morir,
                  encima...

... ...
¡No puede ser!

Tiene que ser verdad eso del Ángel
o eso del demonio y lo del Juicio,
tiene que haber un Juicio
o una Rifa Final de alguna cosa
porque la Muerte no hace nada a tontas ni a
                                        [locas.

150

DIFÍCIL

Que en los penales no haya ningún justo,
que en los panales no haya ningún zángano.
Que en las trazas no haya hipocresía
que en los treces no haya desengaño,
que la cosa está en su cada cosa:
en la viña el vino
en el vino el vano
intento de poblarnos la soledad
y en el amor
                    (lo único que aún puede salvarnos),
que esté el amor-Amor a lo suyo, amando,
que esté verde o azul
que no esté *amoratado*
que esté suelto
a su caer
liberado.

TRACOMA POR EL ALMA

Cuando decimos: —«No puedo ver a esa persona,
                    es que no la puedo ni ver...»
Nos merecemos no poderla ver de verdad,
                    —ni a ella ni a nadie más—.
Cuando decimos: —«No puedo ver a esa per-
                    [sona...»
Ya tenemos por el alma el tracoma;

Dios debiera extenderlo hasta los ojos
y no dejarnos ver tampoco,

ni el mar
ni el cielo
ni el rosal
ni el chopo.

Ni el camino.

ME CRECE LA BARBA

Por la tarde me crece la barba de tristeza.
¡Trae la bacia llena de llanto,
saca la faca y afeita en seco
estas pelambres que pinchan tanto!
¡Qué barba tengo! (¡Qué dolor bárbaro!)
Tengo una pena de bigote,
de tanta pena bigote gasto,
lloro y me crece,
corto y rebrota —no doy abasto—.
Luego la gente no nota nada.
—¡Qué alegre es Gloria!— dicen al paso.
Sólo mi espejo sabe que tengo
pena de Cristo
barba de Cristo crucificado.

ESTÁN VIVOS

Los muertos están vivos,
mientras los vivos parecemos muertos,
amarillos de oro o de ira,
                    muertos,
porque no desatamos las correas
ni nos lanzamos besos.

El odio inextinguible nos amomia,
el egoísmo nos afea tanto,
que parecemos monstruos peinaditos,
sapos con coche,
viejos sin años,
hienas vacías con televisor.
Estamos como muertos y es por eso,
por no tener un aro y un balón
una sola bandera
y un « ¡Válgame Dios! »

LOS CIEGOS VEN...

Los ciegos ven,
los videntes ciegan,
los tontos adivinan,
los otros videntes dejan de adivinar,
los sucios se afeitan,
los criminales lloran,
los policías se distraen
los puritanos se revolucionan,
los doctores no dan una
los tacaños dan todas,
¡los niños nacen!
las vísceras funcionan,
los mudos hablan,
los habladores enmudecen,
   todo esto y algo que no digo sucede,
cuando el amor enciende sus bengalas
para llamar la atención por un instante
que a veces dura
—pero pocas veces—
toda la vida.

¡VAYA ENCUENTRO!

...Salgo corriendo atolondrada
                                    loca
y tropiezo con Dios.
—¿Dónde vas Leocadia? —así suele llamarme—.

Después... me convence en silencio,
            me convierte en paloma,
            me nombra caballera andante,
            me arma de paz y ciencia
            y me quita la gana de matarme.

EL AMOR TE CONVIERTE...

El amor te convierte en rosal
y en el pecho te nace
esa espina robusta como un clavo
donde el demonio cuelga su uniforme.

Al tocar lo que amas te quemas en los dedos,
y sigues sigues sigues hasta abrasarte todo;
después,
            ya en pie de nuevo,
tu cuerpo es otra cosa,
...es la estatua de un héroe muerto en algo,
al que no se le ven las cicatrices.

LA FÁBRICA Y SU PUERTA

Esta primera puerta que cruzamos
pintada está de rojo.

Por honda herida salimos
de las profundidades de una cueva,
donde el amor el asco o la costumbre
de dos obreros tristes nos fabrican
en una agotadora jornada de segundos;

salimos con defectos
estamos hechos trozos
estamos hechos trizas
y estamos hechos
a veces deprisa,
que no dio tiempo a rasparnos la rebarba,
a definirnos bien...
a cortarnos del todo
el cordón umbilical de la tristeza.

VOCES ME LLAMAN...

Voces me llaman y piden que ande
dentro de un silencio macizo.

Camino por un estrecho camino.

Peligroso de lados peligroso.

(Hay que estar en lo que estamos)

Si no miro dónde piso
puedo poner un pie en el vacío,
y si miro, para poner el pie adonde debo,
me mareo.
Haga lo que haga todo es expuesto.

¡Ah! Puedo hacer otra cosa,
sentarme,
montarme en el camino
con las piernas colgando a cada lado...
¡Qué va! Tampoco puedo,
—no está permitido dejar de caminar—,
me pisarían la cabeza los que vienen detrás,
con su botas de Fuego.

Esto de vivir es tan estrecho
que sólo cabemos uno.
¡Es la fila!
Por eso voy detrás de alguien,
o alguien viene detrás de mí.
¡Firmes!
¡Formen fila!
¡Arrestado el que rompa!
¡Marchen!

Toda la humanidad en línea
y a tu lado no hay nadie,
vamos solos.

DESDE QUE NACÍ EN LOS DIARIOS SIEMPRE
VIENE UN PARTE DE GUERRA

No sé por qué... recuerdo,
que hace años por la noche,
yo rezaba un padrenuestro,
para no soñar

cosas de miedo.
Después cuando la guerra,
rezaba para que no sonara la sirena...
Después seguí rezando
para que no nos detuvieran;
luego, para que Equis me quisiera;
para que mi análisis no diera leucemia,
para que se acaben los líos de fronteras,
para que este país... y vuelta y vuelta.
(Desde que nací en los diarios siempre viene
                              un parte de guerra.)
Variando la retahíla,
mezclando personales peticiones con otras
                              peliagudas y extranjeras,
(que si este amor que si la paz que si la pena)
sigo y sigo pidiendo con la fe de una pieza.

Temo tener a Dios cansado de monserga.

TORMENTA DE RAYOS

Esos ríos de luz que se desbordan del subcielo
y queman anegando cuanto tocan.

Esas venas del cuerpo de la noche
con su sangre de ira acumulada.

Esos nervios eléctricos del más alto voltaje
que hacen temblar las Bases de Defensa.

Hasta los sordos oyen,

ese rugir de un infinito ser que nunca surge
—y dice el diccionario que es un trueno—.

¿Qué hace el hombre
voraz nuevemesino,
cuando explota en el cielo la Tormenta,

cuando a Dios, al paciente inconmovible
le hemos puesto nervioso?

CHIMENEA DE LEÑA

El fuego habla.
Algunos tronchos chillan antes de morir,
otros como San Lorenzo se queman y en paz;
un corro de invisibles chicharras lanza su pero-
[rata,
chirría la lumbre una canción desesperada,
—se me han enredado los ojos en las llamas—.
Carnaval,
los troncos están habitados,
la muchedumbre grita antes de disfrazarse de
[ceniza.

EXPLICACIÓN DE LO QUE PASA

Mundo, huerto casi muerto,
siempre siempre siempre
con la pena puesta,
con el rencor al hombro
con el odio a cuestas;

—llorando a voces
gritando con silencio,
casi cobarde ya de tanta valentía—.

Dios intuitivo usa
tu más dulce huracán y haz de leña,
porque se arrasen cosechas de tristeza
y nazca un trigo nuevo.

158

¿Qué pasa en este huerto casi muerto?
¿Qué pasa en este mundo donde me hundo?

¿Qué pasa en este huerto de la Vida
donde se secan todos los frutales
y se nos pudren las sonrisas,
donde no se dan bien las «buenas tardes»
en donde sólo medran las ortigas?

¿Qué pasa en ese huerto casi yerto?

—El hombre llora y se aguachinga en llanto—.
—Y el llanto seca al hombre y seca a todo—...
(Campo-inmundo, campo-insanto.)

¿Qué fruto va a salir de un campo-mundo
al que sólo se riega con sangre y con tristeza?

Por eso digo Dios que uses tu uso,
perdona al hombre y dale penitencia...
Da pena ver el campo todo seco...
¡Tu tormenta de amor que nos empape!

CUANDO EL AMOR NO DICE LA ÚNICA PALABRA

Cuando algo nuestro intacto
se funde y me confunde,
—somos uno en dos partes
que sufre por su cuenta—,
desesperadamente algo nuestro se busca
sin ayuda de nada algo nuestro se encuentra.

La unión se realiza,
la ausencia no atormenta,

el dolor se desmaya,
el silencio se expresa,
—cuando el amor no dice
la única palabra
está escrito el poema—.

Alto y profundo es esto que nos une,
esto que nos devora y que nos crea;
ya se puede vivir
teniendo el alma
cogida por el alma
del que esperas;

pena es tener tan sólo una vida
—sólo una vida es poco
para esto
de querer sin recompensa—.

NACÍ PARA POETA O PARA MUERTO

Nací para poeta o para muerto,
escogí lo difícil
—supervivo de todos los naufragios—,
y sigo con mis versos,
vivita y coleando.

Nací para puta o payaso,
escogí lo difícil
—hacer reír a los clientes deshauciados—,
y sigo con mis trucos,
sacando una paloma del refajo.

Nací para nada o soldado,
y escogí lo difícil
—no ser apenas nada en el tablado—,
y sigo entre fusiles y pistolas
sin mancharme las manos.

CAÍ

Caí caí Caín,
igual al tuyo es mi pecado,
maté a un Abel que estaba acostumbrado,
a que yo no matara por pereza;
maté,
maté como un verdugo con destreza,
caí, caí Caín por el barranco,
caí rodando hasta matar un día.
Maté al dolor, a la melancolía
a la duda y a la madre del cordero.

Me cargué a la tristeza con esmero
asesiné a la angustia de repente
          y me lavé la mano...
Lo tuyo fue peor,
era tu hermano.
¿Qué dices que?
¿Qué te traía frito?
No me digas Caín,
¡por Dios bendito!
Se acabó mi relato.

¿Y PARA QUÉ LUCHAR?

¿Y para qué luchar
con cuatro carabinas oxidadas
con cuatro poesías de derribo,
cuatro gatos que somos
de profesión anti-velistas —de velas—,

proBelenistas
y antibélicos?

—Lucha chica lucha como yo lucho:

hay gente que se quiere todavía
hay todavía gente que se quiere,
contra la bomba-padre el último cartucho,
¡Ay que se quiere amor amor se quieren!
—tartamudeo amor me calma mucho—.

NO MATA LA CALIDAD SINO LA CANTIDAD

En demasía lo bueno se hace malo,
la píldora veneno
y vicio la caricia;

sabes de todo un poco y vas al cine,
sabes de todo mucho y te suicidas.

Mucha vida (cien años) es la muerte
—se hace malo lo bueno en demasía—.
La soledad, es ese gran espejo
donde acabas por verte monstruoso;

el silencio la tuerca en el oído
que se te va ajustando al agujero,
demasiado silencio es igual que una bomba
y demasiado amor es igual que un entierro.

ZOO DE VERBENA

...Tenemos pocas atracciones pero muy esco-
[gidas:
El toro sin cuernos que atiende por «Solterón»,
las siamesas alpinas y la vaca sin ubre.

Por una peseta se tiene derecho a ver
al monstruo marino y al padre que le parió!

¡Visiten nuestro zoo único en el globo!
—Señoras y caballeros vean al padre de la cria-
[tura primero.

... ...

En la jaula se exhibe lo nunca visto,
fue muy difícil atraparlo...
¡A peseta la entrada vea al *hombre feliz*!
Único ejemplar del estado extinguido...
¡A peseta la carta y pueden pasar!

AÑO NUEVO

A primeros de enero de un año cualquiera,
con amores y nombres ya seleccionados,
con los huesos maduros a mitad de mi vida
me **PROMETO** solemne no sufrir demasiado.

Si me pegan, que peguen,
si me aciertan, me han dado,

y si pierdo en la Rifa,
será porque he jugado.

Me fastidian las penas,
me da alergia el enfado,
con el ceño fruncido
parezco un feto raro.
Año nuevo viuda nueva
(¡Qué tópico más sano!)
Nueva luz ilumina
mi ascensor apagado
de subir a deshora
de estar comunicando,
de hacer la angustia en verso
de hacer el tonto en vano,
de sembrar mis insomnios
de tachuelas y clavos.

A mitad de mi vida
de par en par sonrisa y puerta abro,
—que no quiero acabar por los pasillos
con el corazón apolillado—.

PROMETO no volver
a ahogaros en mi llanto,
no volver a sufrir,
sin un motivo
muy justificado.

Poeta de guardia

POETA DE GUARDIA

... ¡Otra noche más! ¡Qué aburrimiento!
¡Si al menos alguien llamase llamara o llamaría!
... ¡La portera! que si su nieta pare,
y recordase que soy puericultora...
O un borracho de amor con delirium tremendo...

o alguna señorita de aborto provocado
o alguna prostituta con navaja en la ingle
o algún quinqui fugado...

o cualquier conocido que por fin decidiera sui-
                                    [cidarse...
o conferencia internacional...
(esto sería bomba —pacifista—).

O que la radio dijera finamente:
«¡La guerra del Vietnam ha terminado!»
«El porqué de estar solo ya se sabe.»
O «el cáncer descubierto».

Y nadie suena, o quema, o hiela o llama
en esta noche,
                en la que,
                        como en casi todas,
                soy poeta de guardia.

MALETILLA

Maletilla de las letras
por los caminos de España;
sin hacer auto-stop a los catedráticos,
ni a los coches oficiales
ni a las revistas que pagan...
—sólo a los camioneros y a las tascas—;
...y no me dieron ninguna oportunidad
por ser nieta de puta y basta.
Ya toreo por mi cuenta,
sin permiso salto vallas,
siete corridas ya tengo, toreadas,
—quiero decir siete libros
igual que siete cornadas—,
maletilla de las letras
por los atajos de España.

SALE CARO SER POETA

Sale caro, señores, ser poeta.
La gente va y se acuesta tan tranquila
—que después del trabajo da buen sueño—.
Trabajo como esclavo llego a casa,
me siento ante la mesa sin cocina,
me pongo a meditar lo que sucede.
La duda me acribilla todo espanta;
comienzo a ser comida por las sombras
las horas se me pasan sin bostezo
el dormir se me asusta se me huye
—escribiendo me da la madrugada—.

Y luego los amigos me organizan recitales,
a los que acudo y leo como tonta,
y la gente no sabe de esto nada.
Que me dejo la linfa en lo que escribo,
me caigo de la rama de la rima
asalto las trincheras de la angustia
me nombran su héroe los fantasmas,
me cuesta respirar cuando termino.
Sale caro señores ser poeta.

AQUÍ ESTOY EXPUESTA COMO TODOS

Aquí estoy expuesta como todos,
con una mano ya en el otro mundo,
con una suave cuerda en la garganta
que me da música y me quita sangre.
Esto de escribir esto es horroroso,
—un día moriré de amar a alguien—,
lo llaman ser poeta y es ser santo,
nadie nos canoniza pero andamos,
con raras aureolas por las sienes,
por las noches a veces relucimos,
con invisibles seres conversamos,
apariciones múltiples tenemos
y dormimos sentados en la sala.
Nos desprecian los jefes, se nos ríen
detrás los empleados,
y los perros nos siguen por las calles.
Que yo tengo de santo y de mendigo
esto de amar a un ser sobre las cosas
esto de no tener nunca zapatos
y esto de que Dios baje por peinarme.

Vivir: compás de espera
(POEMAS DE, VIVIR: COMPÁS DE ESPERA)

VIVIR: COMPÁS DE ESPERA

Vivir: compás de espera,

Si vives ¡Buena la has hecho!

No puedes vivir sólo a base de vida;
tenemos que ponernos la escafandra
tenemos que ponernos la mochila
tenemos que quitarnos la mordaza.

Vivir: compás de espera,
si esperas algo bueno es esperanza,
si esperas algo malo tienes miedo,
el miedo y la esperanza se barajan;
aunque te haya tocado el caballo de muerte,
en este juego a cartas que es la vida
gana el que más sonrisas ponga sobre el tapete.

EL HOMBRE ES ESTO QUE DUELE

El hombre es esto que duele,
el hombre duele cuando viene,
cuando se marcha,

cuando se queda,
cuando se espanta.

El hombre es sabio cuando imita a los pastores.

El hombre es esto que vive,
que canta, que muerde,
que sangra.

El hombre es sabio cuando imita a los pastores.

El hombre es esto que grita,
que calla, que embiste,
que danza.

El hombre es sabio cuando imita a los pastores.

¿TÚ SABES QUE VIENES DE LAS ALGAS?

Valor para lanzarse a lo inseguro.
Valor para dormir a pierna suelta
sobre el pelo amontonado
de alguna oveja muerta.
¿A qué viene ese orgullo?
¿Tú sabes que vienes de las algas?
Hace falta valor para ir al cine,
habiendo tanto que ver por las esquinas;
hace falta valor para ir al monte
y para que te limpien los zapatos de rodillas.
Valores hacen falta,
¡Iré por ellos!

PARA HACER UN GORRO AL DIABLO

Mientras devano la tristeza para hacer un gorro
[al diablo.
Descamina a los negros aguiluchos,
desorienta al llanto.

(Toda persona en ruinas
a través de sus grietas
puede ver una chispa de lumbre celestial).

Me parece que el pozo se ha llenado de peces,
y los sauces del río ríen a carcajadas...
Mira a ver...

ES MÁS CÓMODO ESTAR MUERTO

Es más cómodo estar muerto
pero mucho más expuesto;

los canales que tenemos
se nos llenan de hormigueros.

Se nos casan tan contentos
los amores que tenemos,

se reparten nuestros ternos
los amigos que tenemos...

Nos olvidan;
—si te he visto no me acuerdo—,

y además
¿y si es verdad
lo de Don Pedro Botero?

Es más cómodo estar muerto
pero mucho más expuesto.

SI NO TE VALE DE TODO

¿Para qué te vale nada si no te vale de todo?
¿Para qué te vale todo si no te vale de nada?

¿Para qué por la hondanada
hay un pastor que vegeta...
para qué, si no es poeta
a él le vale la alborada?

Porque hacer todo de nada
es la mejor hidalguía;
no vale la astronomía
lo que vale con la luna
dar un beso a alguna tuna
que te lo tuvo pedido.

Lo mejor del recorrido
no es la meta, es el paisaje.
Porque con un solo traje
puedes ser rico de sino
si en tu corazón hay vino
de ilusión en vez de sangre.

SUMA

Vivimos de la muerte.
Morimos de la vida.
Tenemos un padrastro,
tenemos una herida.
Tenemos la verbena,
tenemos cataclismos,
y nunca somos dueños
ni de nosotros mismos.

Tenemos lluvia artificial,
      risa artificial,
    vitamina artificial,
———————————————
Total: sólo tenemos tristeza natural.

¡PUES SÍ!

La vida es un «Desde luego».
Un « ¡Pues sí! »
Un no parar de sorpresa en sorpresa,
un no poder decir nada:
«de este agua no beberé»;
todo es escurridizo
—aquí cae el más santo—.

Yo no entiendo nada.
Bueno, algunas veces entiendo todo.
Hay curas que matan desde el confesionario,
y otros tan tontos que se dejan matar.

174

Los pueblos no se entienden.
Urge ser profesor de idiomas.
Paciencia, algunos siglos
y podremos desentendernos
de este no entender nada,
de este látigo,
de este latiguillo de... « ¡Pues sí! »

ESTA NOCHE COMPRENDO

Esta noche comprendo por qué bebe Novais,
por qué canta Renata
por qué Rita se esconde,
por qué cose Amparito,
por qué Celaya ríe
por qué Phyllis se acuesta
por qué Chelo se duerme,
por qué Lauro y sus golfos,
por qué yo y mi taberna,
por qué la psiquiatría
por qué va y se suicida...
esta noche comprendo
por qué la gente es buena
por qué la gente es mala
por qué no tengo sueño
por qué estamos tan solos,
por qué fuma una monja.

MORIR PARIENDO COMO LAS OLAS

Morir pariendo como las olas
para que el mar perdure.
Si estamos hechos para la tierra.
no sé como podremos vivir en la Muerte,
si estamos hechos para sobre la tierra
¿cómo podremos vivir debajo?
¿Será empezar de nuevo,
nuevo idioma,
nuevos pasos,
y nuevas denticiones?
¿Se morirán también los muertos?
¿Habrá mortandad infantil?

LA VIDA ESTÁ EN LA VIDA

¿Que solo vive el resucitado?
¿Sólo el resucitado comprende el significado?
...¿Para entender esta Vida hay que perderla y
[volver...?

Sólo Lázaro volvió,
o sea que la entendió
—y no volvió a abrir el pico—.

POEMO

Seamos,
          o seremos
de modo que podamos decir:
— ¡Dadnos lo que merecemos,
o, ayudadme a vencer sin matar a mi adversario,
ya que
éste no es el sitio de nadie,
pero aquí estamos.

MI SUERTE

En la vida
ya he hecho un poco,
pero me queda mucho.
En el amor,
ya he hecho mucho,
pero me queda un pozo.
En la Rifa,
todo lo perdí...
—pero me tocó un cueceleches.

TODO ESTÁ PREELEGIDO

Fuerzas invisibles
nos empujan al vaso o a la boca,
a estrechar una mano
o a cortar una vena.
No elegimos amigos
tampoco profesiones
y ni elegir podemos la forma de morirnos
(quitando los suicidas)
y tampoco ellos van al lugar preferido.

A CASI TODOS

Esta noche, lo siento, estoy alegre,
os comunico mi contento —esperanzado,
—es un golpe que os doy en el costado,
lo sé, os hago polvo, estoy alegre.

Hace sólo seis horas no lo estaba,
—ya pensaba en el gas o en el cloroformo ,
pero vino un vilano de repente
y me trajo una carta sello urgente...
—¡Ya veis con qué poquito me conformo.

A lo vivo me paso yo la pasa,
sola, que no molesto con la pena,
pero ahora me crece —de gusto la melena—
y os lo digo ¡qué raro estoy alegre!

Os envío un ramito de rosquillas
y os deseo la paz inútilmente.

JERGÓN DE RECUERDOS

Que todos necesitamos
un cuarto de soledad,
un kilo de llanto llano;
una alcoba sin nadie,
un páramo,
un jergón de recuerdos
donde sufrir a gusto.

CÉLEBRE

Es un aburrimiento,
cuando te duelen las muelas de los oídos de
                                        [aplausos
entonces empiezas a creer que eres algo
—algo inútil si no ves a alguien a tu lado—.
Cuando soplan las trompetas de la fama en tus
                                        [oídos de fauno
y no hay nada que te cure las orejas de ese es-
¡Qué inutilidad de autógrafos!   [panto...

JAMÁS ESTAMOS NUNCA

Jamás estamos nunca donde a veces estamos
hace mucho tiempo la noche antepasada casi,
de pronto siendo tarde,

salió una gárgola desnuda a preguntarme cosas
[inauditas
y a decirme al paso que era el tiempo,
de sembrar y mullir antes primero
el corazón donde poner el grano.

TENER DE TODO UN POCO

Tener de todo un poco —como el pato—
que nada, vuela y anda y pone huevos,
tener de tierra y mar de niña y niño
tener de bien y mal
eso tenemos.
No ser tan sólo hombres o mujeres
no ser tan sólo alma o sólo cuerpo,
no ser tan criminales como somos,
no ser tan fantasmal como seremos.

Tener de todo un poco,
trigo, avena, y dejar un rincón para el centeno.

COMO ESTAR ESTÁS SOLO

Como estar estás solo,
como estamos tan solos,
pensamos en aquello,
en aquello imposible
como acariciar el mar
o comerse una carta
o besar un lagarto.
Como estar estás solo,
como estar estás harto,
enciendes cigarrillos
por no encender rencores
que dicen que es pecado.

180

CUANDO UNO YA SE SABE...

Cuando una ya se sabe casi todo
empieza a caminar muy lentamente
pero luego sucede de repente
que pisas una trampa de la armada.
Cuando uno ya de vuelta, casi nada,
te estremece o te impide detenerte,
ya te las sabes todas,
—todas...
　　　　menos Una—.

VENECIA

La isla-cementerio
está entre dos canales
—sería facilón llamarlos Ser Noser...

allí viven los muertos rodeados de nada
—digo de agua—
porque el agua no es nada si no se tiene sed.

EMPEORO Y MEJORO

Lo mejor del olvido es el recuerdo;
lo peor de la fiesta es el novillo;
—hoy tampoco me coso el dobladillo,
¡no acercaros que muerdo!—

No es cierto: «Si te he visto no me acuerdo»
me acuerdo mucho y a cuerda no me gana:
no me tiro, es muy baja la ventana;
subiré y subiré donde la pena,
se me deshaga al sol de tu retorno.
Meted trigo a mi pecho, es un horno;

ya no muerdo,
                    «...la noche se serena...»

LA FELICIDAD TAMPOCO EXISTE

La felicidad tampoco existe;
aparece como el espíritu de la golosina,
si la vislumbras,
dejas todo tal vez por acercarte a ella,
ella viene hacia ti —desnuda creo— ardiente,
llegas, si hay suerte, incluso hasta tocarla,
—si hay suerte—.
¿Pero y qué?
                    Nada tocas,
«no existe si se ofrece».
Existe eso que huye
lo que cuesta trabajo
lo que puede comprarse sólo con mil lágrimas
                                        [seguidas,

lo que te dice No, si preguntas si existe,
eso existe.

No existe lo que tienes
—ya lo tienes no existe—;
en cambio, Dios, la luna, lo que está al otro lado,
la paz y la esperanza...
existen, no se ofrecen.

POEMA

La soledad te mancha,
la tristeza te expone,
a cometer pecados —sin nombre—.

Estoy con los que nadie está.
Con los que tienen vómitos de lágrimas
y nadie les va a visitar.

Y me pone nerviosa ese viejo envidiable
que le da por ir al Cementerio a pasearse.

CIEGO EN GRANADA

Todos somos ciegos en Granada,
tú, yo, y ése que se come su tajada;
esta noche la luna anda menguada,
pero a mí, particularmente, no me importa nada.

¡Malhaya quien sólo se esmera
para ser topo de golpe o escalar por la lendrera!

¡Bendito tú,
       ser luciente,
       que das la sal por la arena
       o el azúcar por un niño.
       —¡Por eso yo te doy el pimentón!—

¡Bendecido sea quien deja lo que ama por ilu-
[minar.
...aunque pueda morir Uno de Oscuridad!...
¿Qué importa si quedan once apóstoles
y no muere el Maestro?

ALGO DE LA REALIDDAD QUE SUPERA
A LA ANSIEDAD
o Hay que esperar...

Aquí en esta Europa que es mi España,
—no tiene nada que ver un oso con una garza—
siendo tan bellos los dos —si no graznan—.
El de Somiedo, de Asturias,
«comparao» con el de Camas —Córdoba la llana—
aunque los dos canten mucho. ¡Qué Universo les
[separa!
Mal «comparao»
        cual si juntas un ruso con un sefarda...
—que no es cuestión geográfica—,
es sólo cuestión de siglos —pasados— que nos
[separan
aunque las leyes modernas nos junten en la paz
[ada
para pacer,
nunca pacemos a gusto,
somos osos,
somos garzas,
y no hay ni Dios que nos junte
tan sólo con dos palabras.

LA HUMANIDAD

Cuando por mejor
inventó lo peor.
Cuando las Cruzadas
inventó las pedradas.
Cuando por Dios
inventó al diablo.
Cuando por mejorar su país,
inventó e invitó a no reír...
entonces y para siempre se rieron todas las hie-
                                        [nas del mundo
y hasta la Mona Lisa empezó a sonreír.

PORQUESES

¿Y por qué si tenemos solamente una vida
no estamos con quien creemos que queremos?
...disfrazarnos de felices estando tan jilís con
                                        [quien nos quiere.
¿Por qué viajar
              comprar terrenos
playas montes y anuncios luminosos
si tenemos
la luz de una sola persona que apagamos.
Y si alguién nos va...
¿Por qué será que pensamos en Vietnam?
Esto sí que es dejar la sal por el azúcar,
o querer ser mártir sin llegar a santo.

SOLA CON ESPERANZA

Sola moro
moro sólo
sola moro.

Muchas veces se está solo
pero mejor con decoro
¡A la mierda el oro
y a la mierda el coro!
¡Sola!
Sola-solo.

> Entonces la soleá
> se puebla de luz y canto
> y la niebla va y se va.

La Soledad que yo tengo
es una mujer fatal,
buena —como buena puta—
me lo dice y va y se va.

Semivestida de verde
me excita la soledad
esta noche va y me dice:
—me dice y luego se va—,
«que me merezco otra cosa

—que vendrá—»

¡Qué divina está esta noche
la zorra la Soledad!

¡Qué barullo en la herida!...
(POEMAS DE AMOR)

¡QUÉ BARULLO EN LA HERIDA!...

¡Qué barullo en la herida!...
¡Qué suerte si esto que siento fuera sed,
y se me quitara bebiendo un vaso de agua!
Es entonces cuando llueve tristeza
para ahogar en mi boca
la palabra imposible.
Intento gritar,
y sólo consigo un cobarde silencio.

Una tarde al llegar a casa,
me encontré la sorpresa de quererte,
fue una bomba en mis manos.

Y yo, por si te hiere,
esperando a que explote estando sola
aunque me parta el pecho la locura.

CUANDO TE NOMBRAN

Cuando te nombran,
me roban un poquito de tu nombre;
parece mentira,
que media docena de letras digan tanto.

Mi locura sería deshacer las murallas con tu
[nombre,
iría pintando todas las paredes,
no quedaría un pozo
sin que yo me asomara
para decir tu nombre,
ni montaña de piedra
donde yo no gritara
enseñándole al eco
tus seis letras distintas.

Mi locura sería,
enseñar a las aves a cantarlo,
enseñar a los peces a beberlo,
enseñar a los hombres que no hay nada
como volverse loco y repetir tu nombre.

Mi locura sería olvidarme de todo,
de las 22 letras restantes, de los números,
de los libros leídos, de los versos creados.
Saludar con tu nombre.
Pedir pan con tu nombre.
—Siempre dice lo mismo —dirían a mi paso,
y yo, tan orgullosa, tan feliz, tan campante.
Y me iré al otro mundo con tu nombre en la boca,
a todas las preguntas responderé tu nombre
—los jueces y los santos no van a entender nada—
Dios me condenaría a decirlo sin parar para
[siempre.

SÓLO HABLO CUANDO ESTOY SOLA

Sólo hablo cuando estoy sola;
a mi corazón se le ha roto una bola
a la paloma de la paz la cola,
mi sistema nocturno no funciona

188

llueve y cala mi cerebro de lona;
el mar echa de menos una ola
el idiota una coma
yo sólo una persona.

CARTA A MÍ MISMA

Querida Glorita:
Hace mucho tiempo que no me gusta como estás,
debieras de ir a Dios y que te hiciera un recono-
                                [cimiento a fondo,
o que te recetara Sumanoentucabeza.
Esas bolsas que empiezas a tener bajo los ojos
pueden ser de llorar —como tú dices—,
pero también síntoma de Corazón.
Cuídate hija,
            por bien de todos.
Sé que tienes miedo,
un miedo solo,
un tierno miedo,
miedo a que no...
¡Alégrate Glorita
que quien amas te vive!

INVIERNO

Con montones de nieve hice el contorno de tus
                                        [letras,
edifiqué tu nombre en la altura;
luego salió el sol
y deshizo tu nombre convirtiéndole en agua.

Acabo de beber tu nombre en el único charco.
Tu`nombre me persigue
inquilino en mi sombra;
desapareceré,
y él estará a mi lado.

POÉTICA

¿Para qué a estas alturas
              preocuparme,
—escribir en revistas, hojas muertas o libros?
¿Para qué interesarme por un nombre,
              si ya tengo el tuyo y el mío?
¿Para qué indiferencias, conferencias,
              antologías, mitos?
¿Para qué recitales, traduciones,
              si ya está todo dicho?

He cambiado
de técnicas y estilo.

¡Y manos a la obra!

Escribir sobre tu cuerpo
con los dedos mojados en el vino.

A X.

Sólo a ti servidumbre entera,
yo la rebelde a todos los feudales,
sólo a ti sin freno vasallaje
sin límites de escudos ni fronteras.

Por ti, aprenderé a arrodillarme
¡sólo ante ti! —mi sangre me lo ordena—.
Te amo,
        porque eres mi amo
              —mi amor y mi amo—,
                  y si quiero mi siervo,
                          pero no quiero.

SIN CARTILLA

Yo quiero una postal con tu silencio.
Escríbeme palabras al oído,
date golpes de pecho y grita al techo
el «Yo pecador me confieso mudo».
Anda Lázaro al fin, levanta, escribe,
escribe una tarjeta de ternura
o un telegrama azul de esos de novios;
y si no sabes,
corre a la escuela del amor y aprende,
a escribir «yo te quiero» por ejemplo
antes de que me vuelva analfabeta
sin el Libro de Horas de tus cartas.

EN ESTE DESVÁN

Una carta es un motor
en la cuesta de la Ausencia
—cuesta que cuesta, señor—.
Una carta es un verdugo de la pena
—pena que pena de amor—.

Una carta es un papel...
pero te puede matar si no es...

A NO SER EN TUS MANOS

A no ser en tus manos,
donde mejor me encuentro es en el mar,
allí empiezo a leer hojas a los peces
—en el bosque leo peces a las hojas—,
en las hojas del nogal he aprendido.
En los ojos de los hombres nada veo,
a veces les cuelga una lista de muertos
de las sucias pestañas.

Por eso retorno a tus manos,
que siempre me ofrecen un mendrugo de paz.

GALERÍAS PRECIADAS

Todo te viene pequeño
—o demasiado grande—,
ni siquiera lo que escoges te va,
todo te viene pequeño.
Con el alma desnuda por una cosa u otra
                             imploramos al Tendero.

Y si llegas a encontrar...
quien bien te quiere te hará llorar...
                        —¡Vaya consuelo!—
(¡Qué suerte ser eremita o farero!)

192

HE SALIDO A LA VIDA PROFUNDAMENTE

He salido a la vida profundamente,
y, qué distinto todo de hace años.
Qué cambiado el paisaje!
¡Qué extraño el precipicio!
¡Qué silencio en la voz que ayer me hablaba!...
—qué soledad me ofrece en recompensa
quien casi se moría sin mis ojos—.
Con qué tranquilidad quien suplicaba...
Y yo, ¿qué hago yo si estoy lo mismo?
¿A dónde suelto estas palabras que me liman?

¡Cómo os fatiga amar, qué poco valéis!...
Qué quebradizo...
Qué poco de fiar resulta el fuego.
Qué poca fuerza tinen mis hermanos.
Qué ganas de llorar tengo y qué risa.
Qué ganas de dormir y de bastarme.

VIENE LA AUSENCIA

Viene la Ausencia
a llenarnos de piojos, de tristeza,
a meternos de patas en la acequia,
a comernos la paz de la despensa;
viene la Ausencia
y nos ultraja encima de la mesa,
y se acerca
a rozarnos las costras de su lepra,

se sacude su capa de miseria
y nos deja garrapatas de angustia
arácnidos de pena.
Viene la Ausencia
y nos deja de pasto de la niebla,
es decir, ahogados en la arena.

Y el deseo se viste de vino
y el vino de pena
y la pena de soledad
y la soledad se disfraza de tristeza
y la tristeza otra vez de soledad,
y la vecina de enfrente no entiende
nada de este carnaval.

RETRATARME PARA DARTE LA FOTO

No es suficiente no poderte mirar hondo,
ni basta con lós dedos señalarte la risa.
No es nada olerte el pelo,
ver tu danza,
escucharte la voz
ponerla en cinta.
No es suficiente no, soñar contigo
rezar para que vivas,
retratarme para darte la foto,
escribirte en la noche
con obsesión pensar en tus maneras...
¡No es suficiente no, darte la vida,
ni decir a la gente que te quiero,
ni entregar al mendigo mis ahorros,
ni quemar el pasado es suficiente!

GANAS DE RE-ENCONTRAR

Que huyan de nosotros los que sólo molestan.
Que queden en el tajo los que aún saben cantar;
que aquel que tenga gracia destaque de la orquesta
¡que acabe bien la fiesta y calle el sincompás!

Que al fin nos acompañen...
Que al fin nos dejen solos...
pero al fin
    que lo digan
      que se vuelvan atrás,
que nadie nos engañe,
y no nos engañemos;
lo único que tenemos: ¡ganas de re-encontrar!

EXTRAÑO ACCIDENTE

En aquella primavera se le aflojaron los tornillos;
en unas curvas peligrosas
se le rompió la dirección.
Los testigos afirmaron que se lanzó al bello, pre-
            [cipicio
—como a sabiendas—.
Murió de corazón roto
a tantos de tantos, como tantos,
aunque continúa yendo a la oficina.

Minipoemas

Mientras mi corazón en el silencio
como un olivo viejo se retuerce
oigo mi nombre;
...es sólo el eco del recuerdo al chocar con la
[ausencia.

* * *

Por la calle venía una verdad dando tumbos.
Ya no era un hombre,
era una verdad dando tumbos.

El vino desde dentro del hombre hablaba.

* * *

La bondad de las personas
se les nota cuando pierden
(observar el colorido del vencido).

* * *

Para seguir viviendo,
o grandes dosis de inteligencia,
o nada de inteligencia.
Sólo se suicida la clase media.

* * *

En mi puerta ha caído un platillo volante.
Y he soñado que hacía reír a la Virgen.
¿Qué querrá decir esto?

* * *

El teatro se inventó
cuando un pavo real muy pavo
su cola de pavo abrió.

* * *

Todo el color del mar subió a tus ojos,
toda el agua del mar bajó a mi llanto.

* * *

La muerte es una costumbre de la vida.
En las guerras la costumbre pasa a vicio.
Oye,
si me prestas tus manos hago un milagro.

* * *

Había un silencio fofo,
un silencio-mudo
apolillado de aburrimiento...
—me fui sin decir hasta luego—.

* * *

Todo el mundo tiene rejas.
Esta vida es una cárcel,
una jaula, una cisterna
y te ahogas cuando sales.

* * *

En el mundo siempre somos los mismos.
tan sólo los besos son diferentes.

* * *

Te quiero tanto
—que si me quieres seré demonio—,
si no me quieres seré santo.

* * *

...Parece que han llamado...
—Ah, ¿eres tú?
... Pasa Dolor,
toma una copa...
(Qué vamos a hacer,
por lo menos no estoy sola.)

* * *

Si un potro nace
para correr, saltar, ágil y bello
es cruel romperle el cuello
enganchándolo al carro de basura.

* * *

San Isidro Labrador
era un Santo medieval,
mucho más vago que yo.

EN LOS BOSQUES DE PENNA (U.S.A.)

Cuando un árbol gigante se suicida,
harto de estar ya seco y no dar pájaros
sin esperar al hombre que le tale,
sin esperar al viento,
lanza su última música sin hojas
—sinfónica explosión donde hubo nidos—,
crujen todos sus huesos de madera,
caen dos gotas de savia todavía
cuando estalla su tallo por el aire,
ruedan sus toneladas por el monte,
lloran los lobos y los ciervos tiemblan,
van a su encuentro las ardillas todas,
presintiendo que es algo de belleza que muere.

DIÁLOGO MATERFILIAL

—Hijo, tu padre
era un conocido mío.
Hijo, tu padre,
era sólo un forajido.
—Madre, mi padre
era flor de los caminos,

llevo su sangre,
en mis ojos de domingo,
por mis piernas,
por mi cuello de novillo.
—Hijo, tu padre
era un rubio campesino,
mira, tus versos,
yo no sé a quién han salido.
—Madre, mis versos
salen a un pájaro herido.
Madre, mi padre
era un santón peregrino
yo soy un monje
en el claustro del Destino.
—Hijo, tu padre
iba todo dolorido.
  —Madre, mi padre...
¡fíjate bien!
¡soy yo mismo!

VIAJE SIN LLEGADA

La Tierra como león enjaulado
da vueltas alrededor del Sol
con su cadena de hombres.

Desde que hemos nacido viajamos
a ciento doce mil kilómetros por hora;
la Tierra no se para,
y sigue dando vueltas,
por eso hay tanto viento
por eso siempre hay olas
por eso envejecemos tan deprisa,
por eso estamos locos,
porque toda la vida haciendo un viaje sin llegada.
cansa mucho los nervios.

MUÑECA DISECADA

La muñeca era bizca
con las tripas de trapo,
la muñeca era antigua,
y murió de seis meses
y vivió de seis siglos
y gozó de seis horas.
La muñeca delgada,
                vendada,
                perfumada,
                disecada,
y para más misterio,
la muñeca aparece en la tumba de un niño.
Un gusano en el gozne,
telaraña en la ceja,
mucho trapo en la tripa,
mucho olor a alcanfor.
La muñeca sin vida la muñeca que vive,
la muñeca sin pelo la muñeca que llora,
la muñeca que ríe, la muñeca que espanta.

A UN RACCOON MUERTO SOBRE EL CEMENTO
(Entre Chicago y Madison, U.S.A.)

¿A dónde ibas tú
pelota de pelo
pedazo de oro
raccoon de los bosques?

¿A dónde ibas tú?
¿Por qué a la ciudad?
¿Sin ponerte los zapatos
sin quitarte el antifaz?

¿Ibas a hacer auto-stop?
¿Te querías suicidar?

¿No sabías que había hombres,
que eres norteamericano
y que fuera de tus bosques
está el «turnpike» acechando?

Todo por comer maíz...
No te dio tiempo de nada,
nadie te supo decir:
...que fuera del bosque hay hombres
que se comen los raccoones
con sus coches superfinos.

¡Ay raccoon. ¿Por qué has venido?
...a la ciudad...

EL CIPRÉS DEL CEMENTERIO

Yo no soy triste,
es que estoy en un sitio
que nadie viene con sonrisas.
Yo no soy triste,
es que todo el que viene aquí
parece como si le faltara algo.
Yo no soy triste
y si no que lo digan los pájaros,
a ver
¿qué tienen otros árboles que no tenga yo?
Yo no soy triste,
lo que pasa es que todos me miráis con tristeza.

202

A UN BARCO QUE FUE...

Las piernas aún erectras sobre el agua
esperando a los verdugos de la nómina,
esperando la sentencia de desguace total
en las dulces aguas de Villanueva y Geltrú;
te he visto titán de singladuras
partido por la tripa por en medio
mostrando al sol tus venas cañerías
—escenario de Ionesco—,
luciendo, castamente espatarrado
ya tu oxidado sexo,
tus innumerables voltímetros parados
en el día de la Virgen.
Barco viejo prematuro, sesentón (300 toneladas),
que valiste y no vales
sólo por ser de hierro
—hoy los barcos son de mini-alumi—,
tú eras muy pesado,
ya no vales...
(España al día.)

Veterano de mares
que aún hueles a carbón,
a rubia inglesa
de «pasajero y carga»
fuiste de profesión
barco moderno,
que a trocitos descuartizado vas
aún balanceante
sobre un azul divino paraíso.
Así: litera con litera, ducha con ducha, taza con
                                                    [taza.
Más te hubiera valido barco grave, ser almirez,

o putti o cornucopia o letrina de rey,
descansarías al menos en tienda de anticuario
y valdrías el doble ya de muerto.

¡Lo malo es que estás vivo!
El soplete de la autógena
el berbiquí eléctrico
el bisturí de la taladradora,
te están dando martirio o agonía interminable.
La Empresa Constructora
(destructora, perdón)
que te aniquila,
de dos mil productores metalúrgicos...

Te carcomen gusanos sindicados
que afortunadamente ignoran que estás vivo...

Si les dieran un susto,
y empezaras a navegar con las entrañas a toda
hacia tu Puerto barco,   [vela
donde ya ningún hombre te haga daño.

LA CLASE

(*poligenismo*)

...El Universo tiene
ocho mil billones de años de edad.
La Tierra tiene
tres mil billones de años —comparad—.

El hombre sólo tiene dos millones de años de
                                              [edad.

Por lo visto la tierra estuvo mucho tiempo sin
reinando un silencio de piedra   [habitar;

204

hasta que el helecho empezó a cantar.
Hasta que aquella primera hoja de tanto pensar
la tuvo que nacer un cerebro y se echó a nadar
y de tanto esfuerzo y sufrimiento
aquella hoja se convirtió en pez.

Y cuentan que
un día el pez salió volando,
al parecer retrocedía a ser hoja de nuevo,
¡no! ya era un animal volátil y podía poner
[huevos;
y en un solo día se llenó todo de aves y meros.

Pasaron millones de billones de años enteros;
y se formaron animales que ya no tenemos,
aún quedan algunos como elefantes monos y
[perros...

El hombre no apareció fruto de dos individuos
[en cueros...
¡Muchos hombres a la vez aparecieron!
... Y se empezaron a morder y a cazar...
Muchos murieron...

Nosotros somos los que quedamos.

VAN A MATAR A UN RÍO

Tajuña, río tonto,
hay un millón para cambiar tu sexo y hacerte una
De río bravo y macho   [laguna.
serás una laguna de orilla acementada,
Tajuña, no seas tonto,
defiéndete,
¡a dentelladas!

y niégate anegándoles la presa
—cuando el obrero a salvo en su barraca
duerma pensando en ti...—.
¡Tajuña!
¡Recuerda que eres río!
Comprendo tu ira atorrenciada.
Tajuña, no seas tonto,
Tajuña, hasta tu nombre se rebela
—ya no cantas tus cantos ni tus piedras rodadas—
Tajuña, no seas tonto,
¡en pie Tajuña, hazte cascada!
antes de morir mártir,
antes de ser laguna afeminada.

TEMOR

Hay un perro que ladra,
como un serrucho grande que serrase el tronco
[de la noche.
Hay un gato que maúlla,
como muerto de amor sobre el tejado de mi
[alcoba;
hay un escalofrío general en mi cuerpo,
como si alguien pasase la lengua por mis cuadros.
Hay un cínife loco que se da bofetadas contra la
Y hay una soledad llena de seres   [lamparilla.
que abren y cierran puertas y ventanas
mueven papeles y alzan los visillos
y hay un muerto de miedo sobre mi cama.
Y hay algo que no hay entre las patas de mi silla.

La pica
(POEMAS DEL MÁS ALLÁ)

ÉL LO SABE

Porque Él lo sabe todo de antemano,
ÉL o ELLA, quien sea, se lo sabe.

Hay Alguien que recita de noche tu futuro,
que escribió antes del parto tu estadística...

Fecha de muerte tal, fecha de nacimiento...
Balance de besos dados... recibidos...
Total que faltan...
Número de amores...
Litros de llanto...
Letras vencidas...
Accidentes... Viajes... Hijos... No hijos...
Enfermedades...
Toneladas de dolor...
Días en que...
Épocas...
Segundos de placer... Balance... Risas...

En infinito archivo están nuestros «papeles»;
en carpetas de hule nuestro expediente escrito;
marionetas somos,
escorpiones amaestrados,
libres, hasta una reja de hierro líquido,
condenados a eso que nos quieren echar...

No puede nada el hombre cambiarse su destino
mal comparado es como
recluta sin enchufes.
Hay fuerzas sobrehumanas
hay ocultas corrientes
—más sencillo «está escrito»—
no puedes opinar.

Y ni Dios con ser Dios puede rectificarse,
desdecirse,
borrar, tachar,
cambiar un ápice
las cosas que nos pasan.
       (Digo yo si será así,
        o lo he escrito para calmarme...)

EL DRAMATURGO

La fuerza invisible que mangonea todo,
el geniecillo del bosque que inventa el argumento
          —de nuestro futuro—
y lo lleva a cabo a raja tabla —a las tablas—,
lo escenifica a su gusto y regusto,
reparte los papeles con nosotros
         —los pobres peca-actores—
y nos hace ensayar todo el presente;
nos pone a todos —nos guste o no nos guste el
            [cometido—,
nos pone de patitas en el drama,
nos engatusa con ser protagonistas
de escenas que no nos ván ni nos vienen al pelo,
y el Geniecillo del Bosque,
el Autor,
el Destinillo o lo Que Sea,
me da a mí que se ríe y se hace célebre
mientras nosotros tenemos que llorar.

A DIOS

La Alegría estudié por entenderte
e inventas otro idioma
                              de repente.
Ahora que yo me aclaro
tú te oscureces Dios,
—Espíritu Puro de Contradicción—.

Nos juntas por doquier
y luego nos separas
                              otra vez.
Nos diste el aparato pulmonar,
y luego no nos dejas
                              respirar.
¿Es que me quieres triste o qué?
Cuando me pongo alegre
me das marcha al revés...

Contesta oh Dios hermoso
que por ser vos quien soy
no puedes ser morboso.

EXTRANJERO-NOTICIAS

Yo, la tan pacífica,
estoy impacífica impaciente.
Yo, la tan tranquila,
estoy de sostén de fuerza
de camisa, de Vietnamita —norte o sur—.

¡Ese Cristo del siglo xx
muerto por nosotros!

—no amén—.

Y LO DE SOBRE DIOS

... Y lo de sobre Dios,
me supongo que Existe
—parece que me tienta por la tarde—,
parece que reluce en la taberna...
¿Quién si no Él va a poner alegría en los tristes
[borrachos?
¿Quién si no Dios nos levanta del vómito sin in-
nos acompaña a casa   [terés alguno?...
—«a casita que llueve».

LA PICA

Dios,
        Torero nuestro de cada día...
—Somos becerros toros o novillas—.
Los toros que se agotan en el trapo,
llegan cansados ya a la muleta:
sufrieron a lo largo de la «pica», tanto,
que desangrados de alegría, llegan ya medio vivos
                              [a la muerte...
Lo mismo nos sucede a tanta gente...
No debemos dejar que el picador nos mate
para eso está el Torero.
Torero-Dios,
no dejes que el picador
—digo que el pecador—
quiero decir que el Dolor
nos mate antes que Vos.

Todas las noches me suicido un poco
(17 POEMAS PUBLICADOS EN REVISTAS)

UN ¡AY!

Invade el mundo un ¡ay!
un ay atroz,
y siempre el ¡ay! del ¡ay! es ley del hoy.
El ¡ay! porque no hay.
El ¡ay de mí!
porque no hay —ay de ti—...
El ¡ay! del Norte al Sur
es la única canción.

Sólo hay un ¡ay!
porque no hay amor.

1960 Y...

¿Qué pasa en el pueblo?
¡Qué pueblo tan raro!
Hay viudas de vivos
hay niños callados,
huérfanos con padres,
viejas con retratos.

Los campos se secan solos,
rastrojera en la besana.

Las mozas se secan solas
debajo de la ventana.
Los mozos, como no saben,
no escriben desde Alemania.

CABRA SOLA

Hay quien dice que estoy como una cabra;
lo dicen, lo repiten, ya lo creo;
pero soy una cabra muy extraña
que lleva una medalla y siete cuernos.
¡Cabra! En vez de mala leche yo doy llanto.
¡Cabra! Por lo más peligroso me paseo.
¡Cabra! Me llevo bien con alimañas todas.
¡Cabra! Y escribo en los tebeos.
Vivo sola, cabra sola
—que no quise cabrito en compañía—,
cuando subo a lo alto de este valle,
siempre encuentro un lirio de alegría.
Y vivo por mi cuenta, cabra sola;
que yo a ningún rebaño pertenezco.
Si sufrir es estar como una cabra,
entonces sí lo estoy, no dudar de ello.

ELEGÍA A MI CORAZÓN (al que quiero mucho)

... Y no te faltará corazón mío
si dejas de saltar y de arquearte,
que no te faltará tu caja fuerte...
de la mejor madera —carne y hueso—;
yo misma tu ataúd, no te preocupes...
Así que no irás solo —nada de eso—;

212

tú me has acompañado siempre viva,
e iré contigo para donde sea
iré contigo, corazón amigo,
contigo —ya sin ti— muerta de pena.

APRENDÍ EN EL DOLOR

Aprendí en el Dolor —¡vaya cartilla!—,
luego sólo dos libros he estudiado,
el corazón que tengo en este lado,
y el helado folleto de la mente.
Un libro y un folleto, de repente,
una tarde me dan el doctorado,
un pliego de papel, un subrayado
y un «¡Vaya usted con Dios!», porque la gente,
mientras no nos demuestre lo contrario...

ORACIÓN PARA CUANDO YA NO SE PUEDE MÁS

Dios, para mí, ¡qué llama viva eres!
Yo, un San Lorenzo soy ya saturado;
dame la vuelta ya, del otro lado,
Dios, para mí qué llama viva eres;
Dios, para mí cazando en los burdeles.
San Sebastián yo soy para tu arco,
no tires más, puedes dar en el blanco
del rojo corazón que tanto uso.
Dios, para mí, si no fuese un abuso,
te pediría un puesto —no de mártir—.
—Tengo mucho que hacer aquí en la tierra,
¡Déjame andando!,
como en el cielo Tú—.

y no me tires más flechas ni llamas!
Dios, para mí qué llama viva eres;
un algo muerto soy que aún tiene fuerza
—si se la mandas Tú para el abrazo—.
¡Échame una manita, Poderoso!
Hipnotiza mi pena, seca el llanto;
dime: «Levántate, Gloria, levanta»;
dime levántate, y yo me levanto.

DE PROFESIÓN FANTASMA

De profesión: fantasma.
Era alto y delgado no tenía ojos,
para lo que hay que ver, decía.
Venía a visitarme con frecuencia,
nunca pude saber qué fue de vivo,
a veces me parecía hombre y a veces mujer.
Cantar cantaba.
Nunca se estaba quieto,
oscilaba su luz tan pronto debajo de la puerta
como en el techo, como en el pasillo;
se sentaba en todas las sillas de mi casa
y leía mi correspondencia,
salíamos a pisar hojas las tardes de otoño
luego le invitaba a cenar y en un descuido se be-
                              [bía mi sueño,
entendía de arte y he de confesaros,
que muchos de mis cuadros los hemos pintado
                              [entre los dos.

TODAS LAS NOCHES ME SUICIDO UN POCO

Todas las noches me suicido un poco,
por las mañanas tengo menos vida,
como si el vino se volviera tierra
—paletadas de tierra en mis hijares—.

Cuando algo muerto resucita y mueve,
resuella al fin aún más vivo que antaño.
Cuando algo muerto vive, el cataclismo
ensaya sus primeras actuaciones.

Porque empiezo a tener lo que me deja,
y me empieza a tener lo que yo dejo;
y si es pena que muera lo que vive
ya no es tanta si vive lo que ha muerto.

LAS COSAS

Las cosas, nuestras cosas,
les gusta que las quieran;
a mi mesa le gusta que yo apoye los codos,
a la silla le gusta que me siente en la silla,
a la puerta le gusta que la abra y la cierre
como al vino le gusta que lo compre y lo beba,
mi lápiz se deshace si lo cojo y escribo,
mi armario se estremece si lo abro y me asomo,
las sábanas, son sábanas cuando me echo sobre
y la cama se queja cuando yo me levanto.   [ellas

¿Qué será de las cosas cuando el hombre se
[acabe?
Como perros las cosas no existen sin el amo.

AL PRIMER ASTRONAUTA

Doce de abril, en Rusia, primavera,
mil novecientos fue sesenta y uno,
lanza a un hombre la magia de la ciencia
—subir para morir y bajar mudo—.
Lázaro a un cementerio de gorriones
de monos y de perros adiestrados.

(Ya no tienen quietud ni las estrellas.)

Oscuro. Hoyo sin fin. Pared. Paredes.
Su cabeza taladra las paredes.
Solo, rodando allá en el otro mundo,
fusilado de cara a las estrellas
y por todo silencio un perro aúlla.

El infinito le aplasta la cabeza,
y la sangre le sangra por la sangre,
un frío de otro frío le recorre
su juventud de hombre sujetado.

Brasas de algo, llamas sin hoguera
ahogando van un aire que no había.
Llegó el miedo...
Y la sed...
Llegó la duda...

¡Sobrevivió!
¡Salió de la agonía!

El corazón colgaba desprendido,
el hombre,
nuestro hombre sujetado,
corriendo aún más deprisa que la muerte
volvió a la tierra, y sonrió muy triste.

VERSOS QUE ESCRIBÍ DORMIDA

Bebo porque la gente no me gusta,
porque a la gente la quiero demasiado;
las cosas cambian y el ímpetu se enferma,
sé lo que dan de sí los hombres;
sé que hay pocos que prestarían sangre,
sé que hay muchos que me encarcelarían.
Bebo para olvidar que estoy bebiendo.
Porque la noche es larga y tiene seres,
la vida es corta en cambio y tiene prisa,
la alcoba es grande y el sereno bizco
y un chinche flaco trepa por el techo.

Bebo para acordarme de estas cosas.
Bebo para olvidar que estoy bebiendo.

NUNCA TERMINARÉ DE AMARTE

Y de lo que me alegro,
es de que esta labor tan empezada,
este trajín humano de quererte,
no le voy a acabar en esta vida;
nunca terminaré de amarte.
Guardo para el final las dos puntadas,

te-quiero, he de coser cuando me muera,
e iré donde me lleven tan tranquila,
me sentaré a la sombra con tus manos,
y seguiré bordándote lo mismo.
El asombro de Dios seré, su orgullo,
de verme tan constante en mi trabajo.

ANTE UN MUERTO EN SU CAMA

¿Dónde estarán las abejas que hicieron
            la cera de tus cirios?
¿Dónde habrán ido a parar los primeros
            cuadernos que escribiste?
¿Dónde tu primera novia que no presiente
            que te has muerto?
¿En qué paisaje te has estremecido
para ir a decirle que estás, quieto?
(No es lo peor morirse, lo angustioso
es que después, no puedes hacer nada,
ni dar cuerda al reloj,
ni despeinarte
ni ordenar los papeles...)

Te comprendo, estás triste.
—Intento consolarte—.
Si valiera decirte que te has muerto sobre tu
                            [cama limpia,
que tu alcoba la estaban rodeando los amigos
que se hizo todo lo posible por curarte
—que te estaban rallando la manzana—,
y que estaban bajándote el termómetro
y el más creyente rezaba muy bajito.
Piensa en los que no mueren en su casa,
en los que mueren de pronto en accidente,
o en esa mayoría que se van, en la guerra.

Ya han venido los de la Funeraria,
estás sobre una alfombra y tienes cuatro cirios,
un crucifijo blanco y un coro de vecinas;
que no te falta nada
y estás muy bien peinado.

NOTICIA

Porque a mí la Tristeza me perseguía
y me la encontraba hasta en la sopa,
he huido a la selva que no viene en el mapa,
y hasta aquí yo temo que me encuentre.
Lo temo porque recuerdo,
y no debiera recordar nada.
Porque hombre que quiere ser feliz,
debe hacerse un desvergonzado egoísta
y depilarse nombres de sus cejas,
y huir de la ciudad como· yo hice.

No tengo más que un traje y un cuaderno
y mucho miedo a que se gaste el lápiz.

Al alba sólo al alba paso frío.

Me desvelan las aves y las hojas.

Vente conmigo cuando te harte todo.
Estoy en el alero de un frondoso
tocando el violón con una pluma.
Si te preguntan, no digas cualquier cosa.
Di que me perseguía la Tristeza
y busqué libertad en una isla
que no viene en el mapa.

MI POETA

Mi poeta es Unamuno,
el que a Cristo llama Hermano
y a Dios Padre Cirujano
—porque te corta la vida por lo sano—.
Unamuno
me confesó de verdad:
—No me puedo enamorar ni de una ni de dos;
ando siempre trabajando,
creando a Dios.

Para mí, Dios no es problema.
Dios para mí es un paisaje sin niebla
—a la hora del Amanecer—,
entre rojos y azules,
Dios es un paisaje sin niebla;
para mí
está claro.

A SAN JUAN DE LA CRUZ

Querido Juanito:
No,
si poseer poseo
el entendimiento del amor;
lo que no alcanzo
ni con amor ni con oración ni con bondad ni con
es ser por el amado correspondida.   [poesía,

Está mi alma cautiva
y al paso está cautivada
por una esquiva, mirada,
que ni miro ni me mira.

Y si salgo de vuelo
o me voy por las ramas,
sólo es para dar a la Caza caza,
me remonto y bajo rauda,
porque aún es la tierra mi sitio,
mientras que me quede un ala.

UNA DE LA MADRUGADA EN MADRID

... Y no hay dónde llamar —como en América—,
que llamas y te atiende un sacerdote
—doctor en psiquiatría—;
... Y no hay dónde llamar —que no hay tu tía—;
... que se inunda la casa,
a chorros mueres...

... Por la mañana azul ya es otra cosa,
te afeitas o te pegas maquillaje,
te pones el vestido o tú el traje,
coges el autobús y eres un muerto.

La buena uva
(Poemas de buena uva)

... Y ME TENGO TODAVÍA

Cansada ya del dolor que no sentí todavía,
joven de tanto vivir,
vieja de la lejanía,
preparando adioses siempre
y un temor por compañía,
bebo, fumo, escribo cartas
y meo una siempreviva.

PACIFISTA DE VERDAD
(una que quiere llegar)

No matemos al vecino
invitémosle a tocino.
No levantad barricadas
besad a vuestras amadas.
No pensad en los difuntos,
¡dormid juntos!

YO

Yo,
remera de barcas
ramera de hombres
romera de almas
rimera de versos,
Ramona,
        pa' servirles.

ÉPOCA ASTRONÁUTICA

... Ahora que ya se va al otro mundo antes de
ahora que en una hora   [morirse,
das la vuelta a la tierra,
ahora me entran ganas de comprarme una rueca
y tejer y tejer
y pasarme la vida tejiendo al vecino
—para contrarrestar lo otro—.

EL DIABLO PLAGIA A LOS DIOSES

El diablo plagia a los dioses,
es roja su camiseta,
luego se afeita los cuernos
para parecer más guapo.
Se pone un halo entre el ala,

se pone un sujetarrabo...
y en cuanto te descuidas,
mete el pato.

PORQUE EL PEZ SIN ENAGUA

Porque el pez sin enagua
danza un ballet terrible
y se muere en la danza.
Porque la cornamusa, porque la telaraña,
porque la madreperla, porque la madre patria...
¡Qué risa!
¿El diluvio?
¿La manzana...?
¿Lo natural...? ¡Miel de la Alcarria!
¡Qué bueno es sentarse al sol y saber tocar la
[guitarra!
Y qué difícil sentarse al sol sin echar una lágrima.

ALGUNOS...

Algunos dejan de amar
—o les dejan de amar— y van a Dios.
Otros van a Dios
cuando encuentran amor.
... Y no sabe qué hacer
el pobre Señor.

San Pedro,
de portería en portería
como un balón.

LA BUENA UVA

¡Cuánto sé por intuición,
cuando estoy medio vivida!
¡Cuánto sé ya de la vida
cuánto de la defunción!
—Un velorio es un velorio
y una cama es una cama,
y una vida cotidiana
¡cuánto tiene de Berceo!
un patio de vecindad o un museo
                              —es lo mismo—...
Y aquí se acaba el cinismo.
                              ¿Qué mas da?
Si estás *solo*, de repente,
aunque tengas mucha gente por detrás.

¿QUÉ SERÍA DE DIOS SIN NOSOTROS?

Lo más triste de Dios
es que no puede creer en Dios.
Ni ponerse el sombrero nuevo
para ir a misa como tú y como yo.
Tampoco puede dar gracias al Señor,
ni hacer novillos
ni tirar una piedra a un farol.

¿Qué sería sin nosotros de Dios?

CIRCO

Esta noche payasos,
no me hagáis mucho caso;
... me acosté con el pobre del farero;
he subido a la cumbre
 del islote,
sin amarrar mi bote
                    —a la deriva—.

Yo estaba hecha un volcán
y el mar estaba en calma...
tengo teas
—tea tengo
                ardiendo
                    por el alma—.

Vean:
        los tigres que tigrean
        la pobre hipotenusa,
y la raya torcida
—el pez más difícil de amaestrar—.
Vean la llama acuática
—que sigue siendo llama—,
y aquí el enano lelo
que hasta sabe escupir.

—Que lo vean bien estos señores,
Diógenes, acerca el candil—.

ZAMBRA CELESTIAL

A Dios rogando
y con la flor dando.
Adivinanza adivina
hay un santo en la cantina.
Los religiosos mejores
en vez de rezar dan flores.
Para alabar al Señor,
ser sincero lo mejor.
El que mejor alababa
era el que más vino daba;
le cantaban por flamenco
Dios se ponía contento;
le cantaban con guitarra
y se subía a la parra,
le cantaban «Gloria Gloria»
y dijo: —Menos historia—,
venga una buena guajira
y menos tocar la lira.
Por tocar el violón
el beato Simenón
fue echado de la función;
mientras ángeles mayores
escanciaban los licores.

Siete vírgenes solteras
salieron por peteneras.

Sin hacer a nadie mal,
que jolgorio celestial.
Cuánto cante y cuánta sai
y de vino un manantial.
Todo estó sucedió,
a los piez der Zeñó Dió.

COMO OS DECÍA...

Como os decía, he estado al borde del cañón,
—al pie del cañón—,
quedé un poquito sorda de este oído,
de lado derecho no oigo nada
—del izquierdo oigo pitos—.
... Me salen unos llantos a deshora,
y bultos por la frente,
y tengo un come come que me come
—y no como caliente—.
Una cosa me sube —escalofrío—,
y luego va y me quema...

Hasta el médico dijo:
—Está usted echa un poema.

ORACIÓN PARA IR TIRANDO

Padre nuestro que estás en los cielos
¿por qué no bajas y te das un garbeo?
Si te interesas por nuestros Fueros,
glorificado será tu abuelo.
Al obrerito y al palaciego
tus ordenanzas vienen al pelo.
—Hágase mi voluntad así en la mina
como en el lapicero—.

La «castaña» nuestra de cada día
dánosla hoy,

y disculpa nuestros ocios así como nosotros
«tragamos» a nuestros superiores,
no nos dejes caer con el «tablón».

Mas líbranos del bien también.

SOY AFILIADA

Afiliada soy de todo lo afiliable
lo feo lo bello lo dulce lo amargo,
lo común lo horrible lo cursi lo raro,
lo esto lo otro lo tinto lo blanco;
un cardo, un jarmín, una teja, un santo
(si quedan),
un reo, un maldito, un duque, un esclavo;
todo es útil, vale, todo se aprovecha
—de un cuerno te sale una buena percha—.

EL MENDIGO QUE ENTREGABA UN PAPEL

Por favor no puedo trabajar,
soy por lo menos sordomudo,
tres hermanos, padre y madre muerta
y sordomudo soy y casi ciego.

Haga el favor de darme una chaqueta,
comida o pantalón no tengo nada.
Si tiene usted mi pie unos zapatos.
Soy sordomudo y solo y casi viejo.
Déme al menos un duro o veinticinco...
Socorredme.

Miradme.

No puedo hablar,
soy sordomudo de verdad.

(Devuélvame el papel no tengo copia.)

EL SIRENO

La Sirena en la playa
dio a luz un Sireno
con un hato de llaves
y su chupa de cuero.

El Sireno no quiso
trabajar tierra adentro
ni conocer su padre
ni quedarse en el Ebro.
Él se nada a Venecia,
él solicita un puesto;
él quiere ser lo que es,
                        Sireno.
En sus lomos lleva
a los turistas lelos,
y con su florescente cola,
señálales los monumentos.
—Trabaja día y noche
como el viento—.
Chapoteando las calles
de Venecia,
va el Sireno sereno
abriendo los portales
con su hato de llaves
                        de misterio,
su brillo de pescado
su chuzo de secretos.

Nunca sale de día
ni del agua,
ni se afeita,
ni asiste a los estrenos.
Y nadie, nadie sabe,
sólo él y yo sabemos,
que es hijo de Sirena,
y que no tiene piernas
                    ni sexo.

CIELO DE TERCERA

Con flores de plástico
hay un cielo especial de tercera clase,
donde están los jardines tristes,
los cardos sin flor,
los racistas arrepentidos,
las putas baratas
—los pícaros todos—,
echadores de cartas,
los perros sin amo
las estrellas flacas
los ladrones buenos
y las flores plásticas;
un poquito de todo
una mezcla de nada.

EJERCICIO

Con lo uno
de Unamuno.
Con lo dos,
del Señor Dios.

Con lo tres
de ir al revés.
Con lo cuatro
del teatro.
Con lo cinco
como brinco.
Con lo seis
camino al bies.
Con lo siete
vaya brete.
Con lo ocho
conde pocho.
Con lo nueve
no se atreve.
Con lo diez
sigo con sed.
Vaya vaya
vaya tez
vaya cara
hay que tener
para hacer
lo que yo hago
siendo cojita
de un pie.

PALENCIA

Palencia una calle larga,
a un lado la Catedral
y debajo hay otra iglesia
que dicen del siglo tal.
San Antolín se sonríe
muerto de frío y de sed.
Ventanas que en vez de luz
entran sombras y al revés
—oscuridad que da luz

para los que saben ver—.
Catedral bajo la tierra
y bajo la Catedral.
¿Qué cristianos rezarían
sus rezos en este altar?
Se ríe San Antolín
porque ha entrado una paloma
que ya no sabe salir.

IGLESIA DE PUEBLO

Hueso de San Fructuoso
preside el altar mayor,
y las piedras de la nave
del siglo catorce son.
Hay un Cristo que da pena,
que le crece la melena;
y en el coro telarañas
—las más antiguas de España—.
Una vieja se confiesa
—lo de siempre—, y atraviesa
por el atrio un monaguillo
—lleva de anís un pitillo—
y me mira entusiasmado.
En un lado,
una pila bautismal
que vale cuatro millones
y fuera, los aquilones
de una noria con un burro;
se empieza a oír un susurro,
el rosario ha comenzado,
y en el gótico retablo
donde Jesucristo llora,
el oro es más oro ahora
(y fuera, el oro del trigo
repite lo que yo digo).

OTRA ORACIÓN PARA CUANDO SE DESEA
MUCHO UNA COSA

... Mañana mañana,
—¡por algo se escribe con eñe de coño!—
—Piensa que la esperanza es un engaña bobos—.

Anda Santa Paulina
danos lo bueno de mañana
—que hay muerte repentina—.
Anda San Filemón,
que aparezca quien quiero
en el balcón.
Anda San Florilipo
sírvenos de mañana
un anticipo.
Santos santorum santorín,
todo lo de mañana ahora y aquí.

TEMAS CANDENTES. AGRICULTURA

La mosca mediterránea
(ceratitis capitata)
procrea en el naranjal.
        (Se comprueba la existencia de «Tristeza»
        en algunos huertos y huertas de Alcira.)
En Alcira y en Angola,
y en ese señor que cruza
y en aquella damisola,
en usted que ahora sonríe,

234

y aquí en una servidora,
bien se puede comprobar
la existencia de «Tristeza» virocal
que amenaza el litoral
de la huerta comunal.

DIOS LLAMA AL FONTANERO

—Escuche usted buen hombre...
se me ha roto este grifo de llanto,
apresure el soplete
—no está bien que Dios llore—
y entretanto,
mire estas cañerías de mi lluvia,
se han roto por aquí
—dos pueblos se anegaron—,
vamos y dése prisa
no está bien que Dios tenga goteras
                          debajo del tejado;
... Uno es tan poca cosa,
la vida está tan mala,
y este Cielo tan viejo
y este Viejo tan cielo
—según todas las hijas de María—
está ya tan cascado...
—Vea al paso también los canalones,
venga, suba,
              por este lado...
... mire que buena vista
(éste es el sitio preferido de los superdotados)
—y no vendrá ninguno—.
¡Ay qué indiscreto soy...!
Perdóneme mi párrafo...
... Es que...
Usted me inspira confianza Señor, Fontanero.

ME LO CONTÓ EL GARABATO

Un día yo dibujaba en el techo un garabato,
y el garabato me dijo:

                    gracias por haberme dado...
—¿Qué te di?
¿No ves? ¡La vida!
Ahora si quiero te encanto
te convierto en otra cosa
y ahora si quiero me largo...

Cuando le cogí cariño,
se me marchó el garabato.

RECITATIVO

La naranja del muerto.
Vitrina con vitriolo.
El enano sadista.
Escapar de vivir.
Sinalefas ocultas.
Carcamales cornudos.
Las piernas de la noche.
La cola del delfín.
Sinuosas líneas rectas.
La cera del oído.
El dedo del eunuco.
La sangre del barril.
Folklore de ultratumba.
Futuros ancestrales.
Pañales de la Historia.
La gracia de morir.

236

EL GUÍA DE LA ABADÍA

—Y ahora, pasen al salón
vean las tres reliquias
de San Palemón;
aquí en el Sacristorio
se conservan
limpias de polvo y paja
—niño abre la caja—;
vean las tres calaveras
del Santo Patrón,
calavera de San Palemón niño
calavera de San Palemón adolescente
y aquí, la calavera de San Palemón ya anciano en
—niño sujeta el cirio—.   [el martirio
(Las estampitas benditas
y pasadas por sus cuencas
valen a treinta.)

CONSEJOS JUVENILES

En vez de pensar que Don Tiempo
momento a momento te lleva a la Muerte,
piensa que su tía
la Doña Alegría
minuto a minuto te lleva a la Vida.
¡Exprime el limón!
¡Saca todo el jugo de la gran Función!
La Vida es la percha
aprovecha,

cuelga del pitorro
la lóbrega idea
y canta en el corro:
> «El patio de mi casa no es particular
> cuando lloro se moja como los demás...»

Como los demás,
sufrir todos sufren
sin alardear;
compra un buscapiés,
pónsele a la Pena y pena al revés.
Que todo es cuestión,
de saber sacar
la lengua a la Zorra de la Seriedad.
¡Vístete de Clown!,
y hazte a ti reír
gran espectador.
Silba por doquier,
pase lo que pase
si sigues en pie,
cómprate un «yo-yo»
y tira al retrete tu despertador.
¡Déjate de abstractos!
depila tus piernas,
cómprate un bigote,
¡vete a la Verbena!

MATRIMONIOS ILUSTRES
(*Epimetea y Clemente*)

Epimetea

Epimetea Epimetea,
despliégate condenada
—replegada no eres nada—.
La vida es un cornalón,

que el buey destino te pega
en medio del corazón.
Epimetea Epimetea,
cuece el brebaje
en la azotea.

Ya se lo bebe.
Ya se ladea;
ardiendo viene
Epimetea.
Ya me ilumina
con su gran tea.
¡Qué gran ejemplo
Epimetea!

Clemente

Al cumplir veinte
Clemente,
un ángel resplandeciente,
se le apareció imponente
y le dijo
       enciende y vente.

Le sucedía a Clemente
que amaba a toda la gente.

Y un buen día de repente
quedó solo, totalmente.

Enfermito de la mente
le declaró el presidente.

Y Clemente,
desde el puente,
llorando como una fuente,
lanzó un discurso imponente...
                    sin hablar.

EL SACAMUELAS

Mozas mocitas,
esto no es una oferta es un regalo:
Cajita de píldoras mensuales para los días duros.
                                                    ¡A duro!
Y a quien lleve tres, le regalo dos,
además, el estuche con hojas de afeitar «Fafa-
(la mejor marca registrada).   [rique»
Oigan... no se retiren...
Señora señorita

                    ¡vean qué crecepecho!...
¡Orientales pirules!
                    (y recojo y me marcho...)

EL CAMELLO

(*Auto de los Reyes Magos*)

El camello se pinchó
con un cardo del camino
y el mecánico Melchor
le dio vino.
Baltasar
fue a reportar,
más allá
del quinto pino...
e intranquilo el gran Melchor
consultaba su «Longinos».

—¡No llegamos
no llegamos

240

y el Santo Parto ha venido!
—son las doce y tres minutos
y tres reyes se han perdido—.

El camello cojeando
más medio muerto que vivo
va espeluchando su felpa
entre los troncos de olivos.

Acercándose a Gaspar
Melchor le dijo al oído
—Vaya birria de camello
que en Oriente te han vendido.

A la entrada de Belén
al camello le dio hipo.
¡Ay qué tristeza tan grande
en su belfo y en su tipo!

Se iba cayendo la mirra
a lo largo del camino,
Baltasar lleva los cofres,
Melchor empujaba al bicho.

Y a las tantas ya del alba
—ya cantaban pajarillos—
los tres reyes se quedaron
boquiabiertos e indecisos,
oyendo hablar como a un Hombre
a un Niño recién nacido.
—No quiero oro ni incienso
ni esos tesoros tan fríos,
quiero al camello, le quiero.
Le quiero —repitió el Niño.

A pie vuelven los tres reyes
cabizbajos y afligidos.

Mientras el camello echado
le hace cosquillas al Niño.

Cómo atar los bigotes del tigre

GEOGRAFÍA HUMANA

Mirad mi continente conteniendo
brazos, piernas y tronco inmesurado,
pequeños son mis pies, chicas mis manos,
hondos mis ojos, bastante bien mis senos.
Tengo un lago debajo de la frente,
a veces se desborda y por las cuencas,
donde se bañan las niñas de mis ojos,
cuando el llanto me llega hasta las piernas
y mis volcanes tiemblan en la danza.

Por el norte limito con la duda
por el este limito con el otro
por el oeste Corazón Abierto
y por el sur con tierra castellana.

Dentro del continente hay contenido,
los estados unidos de mi cuerpo,
el estado de pena por la noche,
el estado de risa por el alma
—estado de soltera todo el día—.

Al mediodía tengo terremotos
si el viento de una carta no me llega,
el fuego se enfurece y va y me arrasa
las cosechas de trigo de mi pecho.

El bosque de mis pelos mal peinados
se eriza cuando el río de la sangre
recorre el continente,
y por no haber pecado me perdona.

El mar que me rodea es muy variable,
se llama Mar Mayor o Mar de Gente
a veces me sacude los costados,
a veces me acaricia suavemente;
depende de las brisas o del tiempo,
del ciclo o del ciclón, tal vez depende,
el caso es que mi caso es ser la isla
llamada a sumergirse o sumergerse
en las aguas del océano humano
conocido por vulgo vulgarmente.

Acabo mi lección de geografía.

Mirad mi contenido continente.

LA HUÉSPEDA

Sin comerlo ni beberlo
nos han encerrado en el Cuarto Oscuro
                —¡la vida!—
(¡Qué cuarto de hora tan pequeño!)
¡Qué cuarto tan pequeño sin ventanas!

El mío tiene dos puertas eso sí,
una cerrada,
    —¡Y sólo Dios sabe dónde está la llave!—
y la otra de par en par...

Por ella entra y sale la fulana de la angustia...
...La dejé entrar en casa,
y me pidió quedarse,

me pilló en mal momento,
y la di manta y todo.
Vino para una noche,
y ya va a hacer dos años;
...empezó a meter muebles,
y a adularme los versos...
Otras veces intenta matarme con su vino,
o con su droga barata de tristeza...
¡Voy a hacerlo!
¡Quiero deshacerme de ella...

...El Abogado dice que no tengo derecho,
que ha pasado el período...
y que ha metido muebles...
y sigo con la Huéspeda.
La zorra de la angustia
anoche llegó mala...
¿Y cómo voy a echarla
si me vino preñada de esperanza?

DESAJUSTE EN EL DESGASTE

La vista es lo primero que se pierde,
por eso hay tanta gafa,
después te quedas sordo del pie izquierdo,
y te nace la calva de la cana,
se te mueven las carnes si eres gordo,
si eres flaco te suenan las bisagras,
se te vuelan los capicúas,
se te pierden las ganas...
se te mueven los dientes en la boca;

cuando sabes amar esto te pasa.

GATO ESCALDADO

El gato, escaldado, del agua, huye;
así nosotros señores espectadores,
huimos de cualquier bacanal.
No es que el dolor te cape,
es que te copa,
te capicúa,
te hace igual al principio que al final;
te quedas como un niño inofensivo, pero cruel y
                                        [cobarde.

(Esto lo digo después de cuarenta y ocho años,
de navegación solitaria
en mi cuaderno de horas.)

OTRO A LA AUSENCIA

Y la Ausencia no existe si no quieres a alguien,
aprendes geografía y buscas en el mapa
ese pueblo que dice el matasellos,
cuando amas aprendes geografía,
el clima de ese sitio,
la población civil,
los ríos y montañas
—que se ponen por medio—
los saltas, y resaltas
el confortable amor
—hoy tan incómodo—,
cuando sin ser faquir,
te acuestas SOLO en el colchón de clavos
que es la temible Ausencia.

TE VI

Te vi,
se rompieron nuestras soledades,
se alborotó el instinto,
se llenaron de luz las lámparas fundidas.
Se murieron del susto, nuestros primeros padres,

y tu pena y mi pena,
se suicidaron juntas
la tarde
de nuestro encuentro.

CUANDO AQUÍ

Cuando aquí da el horror la media noche,
allí sólo son las siete de la tarde;
—siete puñales si voy a Andalucía—
—siete gaitas si voy al aquelarre—.
Siete letras tu nombre —se me clavan—,
siete por siete llagas graves.
... No sé nada de ti...
Si yo supiera escribir
                            telegramas en el aire,
levantar tu tristeza,
acribillar mi fraude...
No sé
          pero yo quiero aprender,
a dejar todo y marcharme,
a donde aún no hay noche,
a donde aún es media tarde.

NADA DE SUICIDARSE

... Por ahora,
que pasen hambre los gusanos destinados,
previstos ya para el manjar de nuestro palmo
tenemos aún qué hacer...:   [palmito;
...limar la lima,
dar,
recoger
—y alguna llamarada telefónica—.

¡Qué las larvas esperen por ahora!

MADRUGADAS

Amiga de serenos y de ex-presos
—igual que un operario de la Renfe—
conozco los caminos de la noche,
los caminos del clown que ríe inútilmente,
y los torcidos pasos del que bebe derecho
—derecho tiene a su vida beberse—.
Conozco los retratos de los hijos de pobre pros-
                                    [tituta
que con toda ternura sus madres tienen,
y los enseñan —igual que todo—
en un rincón del bar antes de recogerse.

CINCO DE ENERO

Dios, manda a tus Reyes Magos
esta noche de enero
a que nos echen tiernos rapapolvos.

Échales un amor a las pobres solteronas,
una ilusión a los aristócratas,
una honradez a los pobres políticos
y quítales el miedo a los millonarios.
Vamos Señor tú puedes,
porque estás más allá y más acá de tus altares,
y más cerca del circo.

LA SOLEDAD

La Soledad, atroz pelotillera,
te invita a trabajar
—mientras te mata—
y te invita a llorar
—mientras te seca—.
La Soledad nos limpia, sí, nos limpia,
—hasta dejarnos mondos y lirondos—;
nos acompaña, sí, nos acompaña,
—pero se cobra bien la compañía—.
La Soledad es ese mal criado
que está solo esperando el testamento,
atisbando,
poniéndose nerviosa si mejoras,
si por fin llega carta o llega cita...
¡qué asco de soledad!

SI HUBIERA ATÓMICA

Cuando en la tierra sólo merodeen roedores,
nosotros estaremos en la quinta...
del Sordo.
Y el polvo
—hecho polvo el pobre polvo—,
flotará fraccionado, sin un mueble
donde posar su capa de polvo.
Flotará eternamente
como yo como tú,
entre un prado de lija
y un cielo muy azul.

MIS MEJORES POEMAS

Mis mejores poemas
sólo los lee una persona;
son unas cartas tontas
con mucho amor por dentro
faltas de ortografía
y agonía precoz.

Mis mejores poemas
no son tales, son cartas,
que escribo porque eso,
porque no puedo hablar,
porque siempre está lejos...
como todo lo bueno,
—que todo lo que vale nunca está—
como Dios

como el mar.
Soy de Castilla y tengo
un cardo por el alma,
pero quiero tener un olivo en la voz,
soy de Castilla seca,
soy tierra castellana,
pero quiero tener a mi amor en mi amor.
Da risa decir eso, AMOR, a estas horas,
AMOR a estas alturas de inmobiliaria y comité,
pero yo digo AMOR AMOR sé lo que digo,
—Mis mejores poemas son cartas que lloré—.
Un poema se escribe
una carta se llora,
una noche se puede parir o desnacer,
Yo parí y he robado
—he hecho de todo un poco—
pero mi mejor verso...

un Telegrama es.

AHORA HABLA DIOS

Ya no...
Ya no crees tanto en mí hijo,
por culpa de mis fallos...
Ya no crees en mí hombre,
—por culpa de tus hermanos—
que me salieron mal
—a veces pasa—.
¿Qué te habré hecho yo
sin darme cuenta hijo,
que tan mal te sentó que no perdonas?
¿Qué voy a hacer ahora yo tu Dios y Padre,
si ya no crees en mí,
si vas de luto,
tú que al nacer te puse un traje elástico,
suave y apenas rosa?

¿Y qué voy a hacer yo
—por muy Dios que yo sea—,
Hombre,
si no me amas?

YO, EN UN MONTE DE OLIVOS

Como un volcán dormido de mentira
—parezco al parecer tan descansada—.
Un ocio agotador que así me enciende,
brotan de mi costado las palabras.
Sudo tinta y tengo sed, sed tengo,
mucha sed de manos enlazadas.
Por la punta del monte de mis senos
por la punta del lápiz va la lava.

Va balada a tus pies o bien protesta,
en una piedra al sol, arrodillada
y la pasión del hombre se me representa:
veo celdas con rejas, hospitales sin camas
sabios con atómicas, analfabetos con ayuda de
viudas con marido, casos sin casa,   [cámara,
niños crueles, perras apedreadas,
la traición de un amigo, la destrucción de un alma.
¡No puedo más! ...Me levanto y dicen:

—Ahí va Gloria la vaga.
—Ahí va la loca de los versos, dicen,
la que nunca hace nada.

254

LA EXCURSIÓN

Habrá que madrugar, eso sí.
Sin saber
            a qué hora
                        poner
                                el despertador.
Preparar la tartera, el bocadillo,
las botas o el termo de café;
y abrigarse,
            hará frío,
—cuatro tablas de pino no calientan—.

Es mejor hacer una fogata con el ataúd,
iluminar la Excursión con la Esperanza
o quedarme durmiendo hasta la cita.

LA VIDA ES UN CIGARRO

Se ha declarado una epidemia de paz por mis
                                    [piernas,
me impide dar un paso decisivo;
si viene el enemigo que se largue
                        —ya no recibo—.
¡No vuelvo a beber barro!
—da borrachera atroz náusea de nichos—;
acércame tu luz,
                y fumemos a medias el pitillo.

SOY SÓLO UNA MUJER

Soy sólo una mujer y ya es bastante,
con tener una chiva, una tartana
un «bendito sea Dios» por la mañana
y un mico en el pescante.

Yo quisiera haber sido delineante,
o delirante Safo sensitiva
y heme,
aquí,
que soy una perdida
entre tanto mangante.
Lo digo para todo el que me lea,
quise ser capitán, sin arma alguna,
depositar mis versos en la luna
y un astronauta me pisó la idea.

De PAZ por esos mundos quise ser traficante
—me detuvieron por la carretera—
soy sólo una mujer, de cuerda entera,
soy sólo una mujer y ya es bastante.

CIUDAD —fin de jornada—

Tanto vivo en el metro va de cuerpo presente
con los ojos cerrados de cansancio o de sueño;
los escupe la boca del suburbano,
y caminan... caminan...
sin mirar que atardece,
que el cielo está bonito.

HOSPITAL-ASILO ANCIANOS POBRES

Viven mucho.
Algunos no tienen nada más que años.
Algunos nunca tuvieron nada.
—Algunos tienen hijos casados en buena posi-
Otros tienen un cáncer calladito,   [ción—.
la mayoría padece locura senil
y guardan estampitas de la Virgen.
Allí están solos
y aún vivos,
solamente esperando.

Viven mucho.

Valen tan poco que ni la muerte les quiere.

BALANCE

Yo quería haber salvado a muchos,
—y sólo salvé a un gato del moquillo—;
aunque algo es algo,
¡Qué poco he hecho!

Bueno, y salvarme a mí misma
—a brazadas y abrazos—,
he llegado a la huida
del Civil cementerio.

FUMANDO

Me pasó como con tanta gente;
se me cayó ceniza del cigarro,
apresurada la cogí con estos dedos
para que no quemase el tapete,
y nada cogí
        —algo frío grisáceo que ni quemaba ni era—,
me pasó como con tanta gente.

EL MIMO

En el centro
estaba el Payaso-Arlequín
tenía una esquela en su levitín,
tenía una esquirla como un berbiquí,
tenía una lágrima en su calcetín,
estaba hecho polvo
y no se podía reír,
y no se podía quitar la careta,
de hombre feliz.

EQUILIBRISTA

Subir por la cuerda floja
y el cable tenso alcanzar
—lo difícil no es llegar,
lo difícil mantenerse—
crucificado en el aire
huyendo de la pendiente
sin mirar a las cabezas
que esperan el accidente.

HABLA EL REO

...—Reo a muerte,
—por demasiado previsor—,
para hacerme un reloj;
robé esta cadena
—por demasiado previsor;
robé—,
        para hacerme una sepultura perpetua,
y conseguí, esta cadena perpetua,
—morada moraleja
que ni morir en paz me deja—,
—esconde la mano que viene la pareja.

—¿Por qué si no fui río yo me salí de madre?
y mísero de mí ¿por qué he nacido
con el fin de la espalda descosido?
¿por qué salí de madre sin ser río,
reo
tan sólo soy...

río tan sólo en esta celda sin chiste y sin sus-
llena de ratas y «porqués»...　　　　[tancia
¿Por qué sin yo ser río nací?
¿Por qué no río?
¿Por qué no nací río?
Y sobre todo por qué reo,
　　　　　　　　reo a muerte...
...¿Y por qué preguntaré por qué en esta prisión
　　　　　　　　[de Sordomudos?

ANGINAS JUSTICIERAS

No *soy* feliz,
sólo lo *estoy*,
con la amenaza constante de que me lo quiten
trasgos, duendes y viejas,
—circunstancias si lo pienso—
me mordisquean esto de estar feliz.

(Si no pienso estoy bien)

No soy feliz.
¿Será que no amo a todas las cosas?
Sí, a las cosas las amo.
No soy feliz.
Sí, casi amo a toda la gente;
¿Será que no amo a toda la gente?
(es que cuesta tragar a la gentuza
teniendo anginas justicieras).
No soy feliz, por pasarme de rosca,
por pasar de la meta,
por salirme del tiesto,
por amar a todo el mundo como Dios manda;
y para ser feliz sólo tienes que amar a una per-
como manda Madame Naturaleza.　　　[sona

260

HE DORMIDO

He dormido en el andén del metro,
—por miedo al despellejo de metralla—,
he dormido en el borde de la playa
y en el borde del borde del tintero.

He dormido descalza y sin sombrero
sin muñeca ni sábana de arriba
me he dormido sentada en una silla
—y amanecí en el suelo—.

Y la noche después de los desahucios
y los días después del aguacero,
dormía entre estropajos y asperones
en la tienda del tío cacharrero.

Crecí, me puse larga regordeta,
me desvelé, pero seguí durmiendo,
llegué a mocita dicen que a poeta,
y terminé durmiéndole al sereno.

Y a pesar de estos golpes de fortuna
ya veréis por qué tengo buen talante;

he dormido a las penas una a una,
y he dormido en el pecho de mi amante.

CUANDO ESTAMOS COMO MUERTOS

Cuando estamos como muertos,
todos estamos dispuestos
a regalar participaciones de tristeza.

Cuando estamos vivos de alegría,
nos escondemos
y se creen que nos hemos muerto.

QUÉ VIVA ESTOY

¡Qué viva estoy porque me duele todo!...
Pero conste que soy sola sin vocación,

alegre —con ella—:
suspendida en hilo y en matemática.

... ...

No quiero esos méritos, señores estadísticos,
les devuelvo el certificado de pobreza
y rompo ante sus morros el Diploma de soledad.

262

LA ESQUIRLA

Una vez me clavé
una esquirla de hielo en el corazón,

y cuando ya me iba a morir,
el hielo se deshaló.

EL FETITO FEO (Cuento)

Feto previvo,
previsor del mañana,
antilechal finísimo,
limpio sin mácula.

No tenías aún hechas las uñas
pero tenías
ya pelo en las alas...
Fetito guapo
que sin nacer espantas.

No me dejaron bautizarte
porque decían que no eras nada,
pero te puse te puse...
te llamo llama,
—igual que cuando quemabas mis entrañas—.

O te llamo Sinnombre
y acudes sin falta,
te recorto las plumas
y te acuesto
debajo de mi almohada.

A NADIE HAS CONOCIDO

A nadie has conocido todavía
si de los que conociste,
ninguno te puso en libertad.

¿Y sabes quién irá
aguantando tu paso pequeño y vacilante
cuando tu cuerpo esté
desgastado y torpe?

Mira a los ojos de tu hermano;
quien se encuentra
tiene dentro el panal,
y esa es la miel que atrae
a ciertas mariposas,
devoradas de Soledad.

NOS MUERDEN LAS CADENAS

Paralíticos vamos dando tumbos,
dando tumbas al aburrido cementerio,
porque sólo sabemos un idioma;
no se puede salir sin pasaporte
y no podemos ir a ningún sitio,
ni adivinar qué hace el ser amado.
Inmóviles, idiotas parecemos,
perecemos de sed bebiendo vino
y de pronto nos duele...
(nos muerden las cadenas).

Hay cosas que sentimos y no vemos,
como el dolor, el frío y el fantasma,
y ese gran aullido a medida noche
en la ciudad sin lobos.

CARNE DE CAÑÓN

...Porque sin pedirlo ni beberlo
nos enviaron al pelotón de los torpes
nos ordenaron atacar antes de defendernos,
nos obligaron a pegar
tiros, antes de hacernos el amor.
Porque yo no entiendo por qué,
nos enseñaron a nadar antes que a andar,
a entrar en fuego sin ser bombero.
No es que no seamos capaces,
es que no sabemos cómo comer,
...no nos han enseñado los que saben...
Reconocer que somos sub-desarrollados,
niños sin colegio, de una aldea antropófaga,
llamada mundo.

NO VOLVER A LAS ANDADAS

Se puede reventar con tanta gente
en un gran corazón que todo quepa,
—y ese de orejas grandes,
está más predispuesto a la sordera—.

Se puede uno morir, por eso digo
que cambiemos el disco y que pongamos
ese alegre, que está con tanto polvo
y que siempre aparece arrinconado.

ADVERTENCIA

Cuando estés recién muerto,
aún con la tibia tibia,
aún con las uñas cortas,
querrás hacer algo
—lo que podías hacer ahora—;

y ya habrán cerrado las tiendas y portales,
y ya será muy tarde para llegar a tiempo
a los que hoy te aman.

ORACIÓN

Poderoso Quienseas,
si eres tan sólo un hueco,
permíteme pasar
que mira como arrecia.
Señor,
        Guadarrama Divino,
el oleaje de tus piedras me azota,
        —peligroso es amarte—.

MIRAD QUÉ FEOS...

Mirad qué feos son los diplodocus de pequeños.
Fijaros en el tono que coge la piedra de las gár-
                                    [golas si están enamoradas.
¡Atad cabos al bigote del tigre!
¡Peinad al mismo diablo!
Juntad a los ancianos con sus padres...

Así de imposible y posible es la paz.

EL PRIMO

Bendito sea el primo
—el que llamamos «primo»—,
el que llega temprano,
el que trabaja mudo,
el que hace lo del otro
—y lo suyo—.
El que cede el asiento,
el que gana la bronca,
el que pierde en el mus...
¡Oh tierra,
que tu hermana la Luna se case con el primo que
                                            [llegue,
a ver si con el cruce de primos y lunistas ,
nacen primos y primos,
tantos primos,
                    como el planeta tierra necesita!

ESTÁ CLARO

Cuando el mundo el paraíso era,
le habitaba una sola pareja
—hasta se saben sus nombres...

Y si esto verdad fuera,
descendemos del incesto y el incesto degenera...

¡Ya me explico tanta guerra!

BOMBA

Bomba,
estertor,
vergüenza;
monstruo de medusa cruzada con sabio,
parida de un hombre
sin pecho, anormal.
Fotógrafa fofa,
la Muerte en cadena «retrata» al minuto,
de cuerpo presente
saca el primer plano.

El enemigo está...

El enemigo está carbonizado.

No sólo el enemigo,
el enemigo y su madre,
el enemigo y su gato.

El enemigo está...
El enemigo no está nada...
con esta bomba huelgan los entierros.

La Muerte hizo doscientas cincuenta mil instan-
                     [táneas al minuto
más ciento cincuenta mil que salieron «movidos».

¡Maldita seta de odio!

Coliflor venenosa
calcinado de cólera,
flatulenta de cal,
garrafa del diablo,
corcho, de una fétida
botella de champán.
Pareces un cerebro
con una sola idea
que radia desde arriba.
«ODIAR ODIAR ODIAR»
Nuevo aguijón que flota
y clava desde el aire.
Sombrilla de la Sombra
más mala que asombró.
¡Antrax! Que tuerces nucas
desde el cuello del cielo.
Cúmulo de sierpes,
túmulo de lava.
¡Pare rayos!
¡Asco!
Petrifica cunas.
Fundiendo cuerpos bramas
con tu voltaje devorador.
¡Maldita sí maldita bomba de nuevo tipo
y por siempre maldita tu raza y tu historial!

QUE QUIEN ME CATE SE CURE

Qué inutilidad es ser
—cualquier profesión discreta—;
no quiero ser florecilla quitameriendas,
quiero ser quitadolores,
Santa Ladrona de Penas
ser misionera en el barrio
ser monja de las tabernas
ser dura con las beatas
ser una aspirina inmensa
—que quien me cate se cure—
rodando por los problemas.
Hacer circo en los conflictos,
limpiar llagas en las celdas,
proteger a los amantes imposibles,
mentir a la poesía secreta,
restañar las alegrías
y echar lejía a donde el odio alberga.

Si consigo este trabajo,
soy mucho más que poeta.

EVITAR

Evitar supotancios y soponcios,
evitar, tiquismiquis cortapisas,
forúnculos y asépticos contables,
evitar carcajadas sin sonrisa,
evitarme la alfombra por la cuadra,
evitar detenciones —de la orina—.

Evitar fallecer en la oficina,
evitar saludar a levitones
evitar, porque al fin esos, carbones,
de tu ternura harán un sacrilegio.
Evitar levitar —subir, caeros—,
evitar sobre todo estar en cueros
porque ellos tienen palo sin polilla,
evitar situación comprometida.
Evitar no tener más que un tiña,
evitar violentas contusiones.
Provocar-evitar nuevos amores.
Evitar. ¡Evitar lo Inevitable!

... Por eso y a pesar yo mando un cable,
a todos los países de habla humana:
Evitad. Evitad por la mañana
lo que ya por la tarde será tarde.
Evitar, que la cosa está que arde,
evitar que la muerte te lo evite.
—Evitar no es cobarde es necesario—
(antipoético tal vez pero instintivo).
Evitar. Puedo evitarlo luego vivo
para evitar la muerte inhabitable.

DESESPERACIÓN CON ESCAYOLA

Liviandades portuarias;
recíprocas caléndulas,
insensatas desnudeces
—suicidios en embrión—.

Eso es todo,
y tal vez
      ¿Por qué no Dios?

Cuando el «parquet» se hunde
cuando el ¿Por qué? se rompe,
cuando el sirviente se chotea,
cuando te acuerdas de tu origen...
(barro, o costilla de varón)
...menestrales o banqueros,
¡Cornucopias!

Cuando la luna es opio
y quien amas te odia,
ya se acaba la historia
y nace el reactor.

Si las sílabas valen,
si la sibila acierta,
si los atletas pegan,
patadas al balón...
No lo sé. No lo he visto...
Ya sólo creo en Cristo...
en mí,
... y algo en tu voz.

LÓGICAS ALERGIAS TRASTORNALES

No me gusta esa gente que tiene,
la oreja grande y el pie pequeño;
o ésa,
que tiene la boca grande y el ojo chico,
o aquélla
de letra pequeñita,
—como dos cagadas de mosca en el «te amo».
No me gustan los niños buenos ni los viejos
ni que nadie me toque la trompeta   [malos,
        —sin mi consentimiento—.
Tampoco soporto a aquél

que se autonombra dueño de las cepas.
Sí,
pero cuando más a mí me brota el sarpullido,
es cuando alguien mata a alguien,
    «SIN TIRO NI VENENO NI NAVAJA»
(Son «lógicas alergias trastornales»,
debidas a mi edad
según Galeno).

¿ANTIPOEMA?

Partiendo de que,
todo es falso y ridículo;
de que,
lo más bello resulta monstruoso;
de que,
los adolescentes suelen tener lombrices
o sea,
        gusanos como los muertos.
Así,
    partiendo de cero,
porque,
        nada es seguro,
yo,
  os aseguro,
que,
    haciendo lo que no me da la gana,
    ¡tampoco estoy en lo cierto!

EXAMEN DE PREUNICEMENTARIO

1.º—¿Hasta cuánto y hasta cuándo puede durar
. [un sufrimiento?
2.º—¿Qué largura de meses años siglos puede
[tener un dolor?
3.º—¿Cuántos grados bajo cero de desamor aguan-
[ta un ser humano?
4.º—Si usted es amorlófilo, explique cómo reac-
[cionaría ante el desvío de quien ama.
5.º—El quinto es no matar. ¿Qué haría usted con
[usted en la anterior circunstancia?

NO TENGO VOCACIÓN DE CAMPOSANTO

No tengo vocación de camposanto,
el negro no me va ni el gris tampoco,
el verde me va al pelo,
el amo no me va, ni me va el preso,
—corazón enredado en una rana—.

Odio la lentiud, la parsimonia,
el no fiarse,
el encerrarse solo,
el aburrir al mundo con tu drama.

...Creeré que es posible gran cosecha.
Y creeré en la gente y en el mito.
Me cuidaré el riñón, hígado y bazo,
todo sí, menos el ser melanofórica,
todo menos morirme en las mañanas,
¡todo menos poner más negro al cuadro!

PAISAJE INTERIOR

Como loca feliz y casi sola,
voy de merienda al campo,
con tortilla de espinas y hojarasca
y una bota de vino, mientras tanto
saco una flauta del morral y toco
una canción muy verde de esperanza;
veo tórtolas amarse como tórtolos,
cruza el río una garza
y por mi pensamiento cruza,
un «a mí qué» sin alas.

EXAGERACIONES DIVINAS

Es que Dios es más «exagerao»...
cuando se pone a darte cuerda
— ¡échale hilo a la cometa! —.
Y cuando se pone a dar felicidad
—hace que te enamores de dos o más—,
y cuando se pone a regalarte sufrimiento,
te convierte en Tristeza en un ciento por ciento.
Cuando la toma contigo,
no te vale ni el amigo...
... ...
Pero es mucho peor,
estar dejado de la mano de Dios.

QUIEN SE SALVA ES QUIEN ES QUIEN

Quien construye
se destruye
(ya lo dijo Gloria Fuertes),
quien no tiene libertad
lee la carta en el retrete;
quien su madre no le quiso
diez complejos a las nueve;
quien su padre no es su padre
¿Qué caray de culpa tiene?

Quien se salva es quien es Quien...
        ¿Quién?
(¡Hizo bien en bien nacer!)
Quien se mata es un malvado;
        Yo lo sé por experiencia
        no porque me haya pasado.

LA TERMITA

Y los libros mal escritos
los terminan los termitos,
y la termita ex-termita
extermina el manuscrito.
La termita es un bichito
que favorece a la ciencia,
la termita y su experiencia,
la termita y su paciencia
nos revela el laberinto

la termita y el termito,
terminan con el conflicto
se nos comen el panflito.

La termita ha terminado
el volumen titulado
«Tratado de lo tratado
de acabar con el indito»,
la termita ha terminado
con el último bocado
del funesto manuscrito.

LA INSULSA

... Las moscas artificiales
son más bellas que las naturales...
—Los inocentes peces de colores pican como
[tontos—.
Y al comerse la mosca que no les sabe a nada
—ya se masca la muerte—...

¡Esa insulsa que nunca sabe a nada!

SIN TREN DE REGRESO; ESTACIONES

OTOÑO
El viento es lo contrario del avaro.

INVIERNO
En la sala de cunas hay un Niño esperando.
En la sala de espera mi corazón vendado.

VERANO

En el fondo me siento victoriosa,
he podido aguantar al enemigo,
tres meses de luchar: Trofeo Vida
(porque pude morir en retirada).

PRIMAVERA

Eres tan cursi hija
que no hay por donde cogerte.
Hasta en febrero cuando estás desnuda eres
                                        [cursi
adornada de odas y vergeles no digamos.
Primavera,
más que cantarte te han hecho la viñeta
                        [ciertos vates sin agua;
pero a pesar de todo te defiendo,
porque haces retoñar ese geranio,
que se me seca siempre en el invierno.

DE PRESTADO

Vivo como de prestado,
las manos son de mi padre
y la nariz de mi hermano,
el abrigo de un difunto
y el cinturón de un soldado.
Mi vida es de otra persona,
mi verso, de Otro dictado;
todo lo que tengo y llevo
me lo han regalado...
        (la tristeza inclusive).

EN POCAS PALABRAS

DEPORTE: un hombre
              una tabla
              una ola.
MUERTE: un hombre
              unas tablas
              una ola.
AMOR: un nombre
              una cama
              y una
                    —sola—.

DE AMOR

Redúceme la cabeza
como el indio guaraní,
y póntela en tu vitrina
        de biscuit...
O ponla sobre tus hombros,
—o sobre tus hombres España—;

redúceme la cabeza
pero auméntame la calma.

PIRÁMIDE

Este muerto está malo,
algo le pasa,
no come,
las manzanas de anoche están intactas.

SELVA

... Y dijo el payaso:
¿Será este dinamismo lo que antecede a la
Y dijo la lechuza: ¡miau!   [muerte?
Alguien gritó y otro dijo:
—¡Dios no es sordo!
... ...
¡Por favor!
¡Bajen el volumen de vuestro preceptor!
Una mirla espiaba alrededor,
y el tigre de la bengala se encendió,
la tigrata era ingrata y volcó
con la cola
una cesta de estrellas...
            Me dio miedo y me fui.

LA BUENA VENTURA

... Y ahora viene la otra cara de la medalla:
vean por este lado
—ya han visto por el otro—;
el Tití catedrático escoge el papelito;
el papelito reza el porvenir del espectador;
Don Tití ha de posarse sobre el hombro del des-
—como estrella o guadaña...   [tinatario
¡Atención!
            ¡Va la suerte!
—Esperen un momento señoras y señores
... ...
... ...
Pasaron veinte siglos,
seguimos esperando.

—Ahora pueden abrir el papelito—.

ADIVINANZA (clásico del siglo xx)

            ¿De qué diréis que yo muero?
Al amor fui por navajas
—cosa que el amor sí tiene—
metí la mano en la brasa
—y vinieron los bomberos...
            ¿De qué diréis que yo muero?

Al amor fui muy de niña
y me dijeron que *no*,

desde entonces peino piojos
y me duermo en la función
              ¿De qué diréis que yo duermo?

Una vez que tuve una,
borrachera colosal,
se me apareció San Luis
y dijo, ¡No bebas más!
              ¿De qué diréis que yo bebo?

Solución: me prohibió la consecuencia, pero no
                                    [me quitó la causa.

¿POR QUÉ NO DETIENEN AL DOLOR?

En los charcos de llanto
nacen sapos,
que croan la venida
de la angustia.
El dolor, que ni él sabe quién le manda,
en un ciprés maloliente se columpia,
luego salta a traición a nuestro paso
y a navajazos viola y te acuchilla
                        la esperanza.
¿Por qué la ONU o la Otra guardan
un silencio profundo,
ante este gran criminal Don Dolor Fuertes
que anda suelto y viajando por el mundo?

LA LINDA TAPADA

No te tapes Poesía
te reconozco en las cosas pequeñas
y en las casas grandes,
allí donde estés, daré contigo.
Te huelo poesía,
te presiento en el alto y en el bajo,
en el monte y en el burdel,
en el mar y en el borracho,
en la alegría del mar
y en el dolor del mal.
No te tapes poesía que te veo,
no me tientes a retóricos sonetos,
vamos a hablar como siempre,
¡o te mando de paseo!

VIRGEN DE PLÁSTICO

Con su manto de nylon
y la corona eléctrica,
con pilas en el pecho
y una sonrisa triste,
se la ve en las vitrinas de todos los comercios
y en los sucios hogares de los pobres católicos.
En Nueva York los negros
tienen su virgen blanca
presidiendo el lavabo
junto a la cabecera...
Es un cruce de Virgen entre Fátima y Lourdes,
un leve vaciado con troquel «made in USA»,

tiene melena larga y las manos abiertas
es lavable y si cae no se descascarilla.
Las hay de tres colores,
blancas, azules, rosas
—las hay de tres tamaños—
—aún la grande es pequeña—.
Así, sin angelitos,
Virgen de resultado,
me diste tanta pena,
Virgen pura de plástico,
se me quitó la gana
de pedirte un milagro.

LA ESPERA (versos pueblerinos)

Aquí que me ves estoy,
con una rama en el pico
con una oliva en la rama,
con la vida casi en vino.
Escribiendo como un monje,
estudiando como un niño,
trabajando como un tonto,
observando como un simio,
esperando como un huevo
a ser útil —pollo o frito—
ESPERANDO sobre todo
(¡Qué verbo tan socorrido!)

Vivir es la larga espera
que todo lo que ha nacido,
(que resulta un *sin-vivir*
de tanto esperar vivirlo):

Colocación, el empleo,
que la beca, que el destino,
ahora un viaje, luego boda.

que nos quieran... luego un piso;
ascender, tener salud,
ser importante, ser rico,
tener más... a ver si llega...
... pudiera ser...
... ¡Si muriera fulanito!
Conocí a un camaleón que vivió
como un bendito;

la ocupación de *esperar*,
no nos deja hacer lo mismo.

EL CIEMPIÉS YE-YÉ

Tanta pata y ningún brazo.
¡Qué bromazo!
Se me dobla el espinazo,
se me enredan al bailar.
¡Qué crueldad!
por delante y por detrás,
sólo patas nada más.

Grandes sumas
                me ofrecieron,
si futbolista prefiero
                        ser,
pero quiero ser cantor
y tocar el saxofón
con la pata treinta y dos
en medio de la función.

ENFERMERA DE PULPOS

Ellos viven en la mar
sin pecado terrenal
—sin mancharse con trilita—,
ellos viven como tú y como yo
de la tinta.
Los envidio por los brazos,
pues pueden al mismo tiempo
tres abrazos. Los pulpos
para el amor son siniestros
según un sabio de Harvard.
... ...
Las pulpas,
                    tocan el arpa
                    por la tarde.

EL ORNITORRINCO

—¡Múdate de pino!
le dijo la procesionaria al gorgojo de la vid.
—Date el bote en estrambote, tienes cara de
le dijo la silva al soneto.   [conejo,
En la pradera el ornitorrinco
                    pegó un brinco,
y se fue sin que nadie le dijera nada.
                    ¿No es esto admirable?...

MARBELLA

Nada saben de esto los pulpos que viven debajo
[de la playa,
con sus múltiples brazos abrazan cuanto tocan
donde más bien se agarran las raíces de roca,
donde sueña una sueca haciéndose la ídem.

LA MAJA DE SOLANA

La maja de la Plaza de la Paja,
cuando el chulo se la raja,
se desgaja
             la refaja,
saca y pule
             la navaja,
corta y taja,
¡Es Pepa la Desparpaja!

QUE USTED BIEN SABE
(Carta al Señor Dios. Cielo)

Muy Señor mío:
Hace mucho tiempo que debía haberle escrito,
espero que sabrá perdonar y comprender mi tar-
cuyo motivo,   [danza
             Usted bien sabe.

Deseo que al recibo de estas líneas
se encuentre bien en compañía de su Sagrada
Familia
y demás Santos de la Corte Celestial.
Servidora está bien,
como Usted bien sabe;
—quitando esos arrechuchos de tristeza que a
me dejan baldada—   [veces
como Usted bien sabe;
gracias a Su ayuda
(que aunque Su Bondad no me hizo mística del
sí, lo suficiente) para poder asegurar,   [todo,
que Usted, Manjar Dulcísimo,
cuán bien sabe.
No vengo a pedirle nada
sino a darle las gracias
por haber conocido a esa persona
que Usted bien sabe.
Siempre agradecida,
le quiere mucho ésta que lo es,
—como Usted bien sabe—.

PIRULÍ

De fresa, limón y menta
Pirulí.
Chupachús hoy en día
«lolipop» americano.
Pirulí.
Cucurucho de menta,
caviar en punta de mi primera hambre,
primer manjar de mi niñez sin nada,
juguete comestible
cojeando cojito por tu única pata de palillo de
[dientes,

288

verde muñeco azucarado indesnudable
—te devoraba entero
metido en tu barato guardapolvo de papel—.
Tú mi primer pecado de carne,
caperuzo imposible,
... robé para comprarte,
fantasmita pequeñito
penitente de dulce
de mi primera Semana Santa
¡Pirulí!
Triste ciprés si estabas
en la mano de otro.

EL CLOWN

Arremete de cabeza
a la tristeza del pellejo del tambor.
El clown,
y se mete da patitas en la tina del sifón.
El clown.
¡Cuánta espuma,
cuánta gracia,
qué bien toca!,
¡qué acrobacia!
El clown.

De un niño coge una risa
y la convierte en paloma
y así otra y otra y otra.

El clown.

Y vestido de Quijote
se hace un nudo en el cogote
el clown,

y usando de Rocinante a su escudero
sale en cueros.
—¡Qué despiste!,
a lo serio o lo formal cómo embiste,
—¡lágrima en ristre!

El clown.

Sola en la sala

CARTA EXPLICATORIA DE GLORIA

Queridos lectores:

Os pido excusas y excusados
y os insinúo que me perdonéis
por estas entregas diurnas
que vengo entregandoos últimamente.

Más siento yo que vosotros
que mis versos hayan salido a su puta madre;

más siento yo que vosotros
lo que me han dolido al salir,
quiero decir, la causa por la que,
me nacieron tan alicaídos y lechosos.

No soy pesimista,
soy un manojo de venas desplegadas
que apenas puede aguantar el temporal.

Me pagan y escribo,
me pegan y escribo,
me dejan de mirar y escribo,
veo a la persona que más quiero con otra y es-
sola en la sala, llevo siglos, y escribo,   [cribo,
hago reír y escribo.

De pronto me quiere alguien y escribo.
Me viene la indiferencia y escribo.
Lo mismo me da todo y escribo.
No me escriben y escribo.
Parece que me voy a morir y escribo.

ESTE LIBRO

Este libro
es el más serio
más alegre
más triste
más acertado
más despiste
más raro
más normal
más directo
más indirecto
más clásico
más futurista
más oscuro
más realista
más cuerdo
más demente
más libro
más conveniente
de todo el siglo xx

FABULOSO DESASTRE

Fabuloso desastre me adjetivo;
me conozco me topo me desvelo
yo ya no tengo pelos en la lengua
ni gatos en la tripa ni remedio.

¡VIVAN LOS LABORÓFOBOS!

¡Vivan los laborófobos!
—auténticos pacifistas—
—nunca dan golpe—.

QUIERO LLEGAR A SER SOBRENATURAL

La Felicidad no te la hace ningún terrestre,
sólo algo «desconocido» o tú mismo,
que si consigues hacerte feliz pasas a sobrenatural.

...Y POR CASTILLA VEO UN ÁRBOL

...y por Castilla veo un árbol
y parece que veo alguien de mi familia.

1972

Es más fácil ir a la luna
que curar un catarro.

Es más fácil beberle
que hacer un jarro.

ENCIMA, A VECES

Encima, a veces,
tomas la forma de ancho olivo
para hacerte la ilusión de que eres más útil...

SUEÑO 1.º

EN EL DOLOR Y NO EN LA CIUDAD
ENCONTRARÁS LA AMISTAD

El Soponcio y el Vahído
eran grandes enemigos
hasta que una buena noche
en accidente de coche
se dieron la gran morrada.

Soponcio tuvo un Vahído
y Vahído un camarada.

SUEÑO 2.º

Me pasé nueve meses
con la lágrima puesta y subí al cielo.
Improvisé unos versos
expresivos brillantes
—como siempre fueron los ojos de los niños—.

Como siempre desperté.
Volví en ti.

PARECE QUE TENGO DE TODO

Parece que tengo de todo,
pero al bajar del Rolls
me pisé los harapos
de cuando era triste.

MENOS MAL

Tengo Egoísmo —me da por estar sola—
pero no Odio —me da por no verles—.

UN BUEN DÍA

Cuando me dolía el brazo de tanto acariciar,
la mano de tanto bendecir
el culo de tanta patada decidí:

(¿Qué decidí?)

¡Ah! No dejarme pegar
y sobre todo no pegarme a mí.

Me hice una sopa de ajo
con mendrugo y perejil

me puse vaso de vino
y blusita de organdí
miréme fija al espejo
y la gloria huyó de allí.

EL ACERICO

Sí que era rojo
y tenía forma de acerico
forrado de cierto pelo
suave al tacto del que se acercara;

así era,

pero no le claves ya más alfileres,
que el acerico del costurero
es solamente mi corazón.

HAY TRES CLASES DE PERSONAS

Hay tres clases de personas:

Las que sudan
las que tosen
y las que son felices.

LOS PECES SE JUNTAN PARA MORIRSE

Los hombres se esconden para matarse.

Los peces se juntan para morirse.

SE BEBE PARA OLVIDAR UNA COSA

Se bebe para olvidar una cosa
y se olvida todo menos esa cosa.

CIENCIAS NATURALES MEDITACIONALES

La pastiñaca
cambia de color según el animal que la persigue.

El caballo de mar
da a luz a sus hijos.

Al pulpo astronauta
le da por ser medusa.

El tiburón
entienden de colores.

El plancton microscópico
vale para que otros coman.

EL POETA AL SENTIR

El poeta al sentir
descubre todo lo que no le han enseñado.

LO QUE PASA ES QUE NO PUEDO SER MALA

Lo que pasa es que no puedo ser mala
no me sale;
y aunque las brujas tejen telarañas en mis so-
                                        [bacos
me da repeluco matarlas a escobazos.

FUE ENTONCES CUANDO COMPRENDÍ...

Fue entonces cuando comprendí...
cuando me enseñó la sutura y sentí
la suavidad de la cicatriz.

¡A LA DEHESA!

¡Vámonos! ¡Vámonos a la Dehesa esa!
que quiero ver al torito en la tienta.

Parte de nacimiento de «Brioso» el torete:

300

Nació en Andalucía o Salamanca
pero tiene navajas de Albacete.

A los ocho meses se le puso el hierro candente.

A los dos años que corra como un niño por el
[campo.

El toro en su sitio tranquilo, su verbo: pastar.

El toro en la plaza intranquilo, su verbo: dejarse
[matar

COPLEANDO

Que me llamen lo que quieran
que a mi no me importa nada
mientras que a mí no me llamen
la finada.

SOLEARES DE PROTESTA

Van a tirar la Giralda
porque debajo hay petróleo
y a mí no me da la gana.

TAURINAS

Un maleta:

El hombre tenía que comer
y se tiró de espontáneo
porque sabía que en la cárcel se come.

Un torero:

Un fracaso hace más daño que una cornada.

Yo:

Un desamor en un cómodo sillón
hace más daño que un quirófano.

TODO LO DE MI NEVERA

Me gustaría estar en la India
pasando un hambre distinta.

(Un hombre acaba de tirar a la basura
todo lo de mi nevera).

EL AMOR, ESE TÍO ESPORÁDICO

He explorado todo...

¡Qué inquietud!
¡Qué ansiedad!
¡Qué celos medievales!
¡Qué inferioridad!
¡Qué falta de sereno
—ambiente—!

¡Qué bobada!

¿...Y QUÉ QUE AL ENANO VISCOSO

¿...y qué que al enano viscoso
antes de su palmar
la erupción se le manifieste
con múltiples granulosis en su sexo?

—Maestro,
        tapa tres tintos y queso.

ROOSA, EL ASTRONAUTA

Roosa, el astronauta
perdió cinco kilos
durante sus vueltas
alrededor de Luna;

—era el que se quedó SOLO
mientras los otros
andando como niños
cogían piedrecitas—.

¿SEGUIR?, ¿NO SEGUIR?

¿Cómo creéis que estoy?
Desolada sin sol
en tinieblas con cierta claridad
arañada sin arañas
muy madura para no sé qué.

He ahí el dilema: ¿Seguir? ¿No seguir?

PREÁMBULO AMOROSO

Nefanda, ponte la bufanda y anda;
abre el balconaje
cierra el navajaje.

¡Vamos a tomar por... luna
mientras que Rita trabaje!

Mete cable, cambia traje
que viene el alunizaje.

Nefanda no te demores
corre,
por los corredores.

Para el nido de avutardas
¡cuánto tardas!

Nefanda ¿qué estás haciendo?
…

Te pareces a Rosendo.

DON ROSENDO

Don Rosendo
(del que nunca se supo que era)

Don Rosendo
(tenía un pavo real y una pantera).

Don Rosendo
(se pasaba la vida padeciendo).

Don…
—tenía gana de suicidarme por alguien,
cuando encontró el sujeto, Algo
bajó del cielo y le dijo:

—Rosendo,
que te están viendo.

LLEGUÉ A LA ISLA DE NINGUNA PARTE

Llegué a la Isla de Ninguna Parte
aquí me quedo.

No merece la pena partirse.

QUE NO LLEGUE ESE FIN DE SEMANA

¡Que no llegue ese Fin de Semana
donde los supervivientes
envidiarán a los muertos!

CONFUSIONADOS

Pero...
¿y si entre la gentuza entra
la gente que queremos?

Llegará un momento
que será sin escultor un monumento,
y no sabremos
o no querremos saber
quién es la gente
y quién es la gentuza.

DEPORTES

Toreo-miedo.
Boxeo-miedo.
«Surf»-miedo.
—Deporte es droga—.

Toreo-desafiar a un animal.
Boxeo-desafiar a un ser.
«Surf»-desafiar al mar.

(Hay locos que ya no tienen miedo).

DIARIO CALVARIO

Este trozo de Dios con que sostengo mi tristeza.

ES MEJOR NO TENER NADA QUE NADA

Es mejor no tener nada que Nada.

¡Nada que te ahogas cacho cabrón!

¡Respira y canta que sigue el orfeón,
te pagan por cantar!
Y a nadie importa nadie
y menos tu naufragio...

¡Nada!

Todos los santos tienen octava
y Beethoven novena.

OJO CON LOS SERES OBSERVANTES

Inútiles esponjas que nunca valen
para limpiar la herida.

Observantes
de sucio guante
o de la caradura
o de la cara corbata
o del nuevo tumor.

Especialista en «joles» de hospitales
en pésames
en duelos,

los que nunca te llaman cuando cuelgas un cua-
[dro en el Museo.

CASTILLA

Yo pido pan y vino
para el que hace el pan y el vino.

AL CALOR DEL SILENCIO
SE MADURAN MIS VERSOS

Al calor del silencio se maduran mis versos.

EL RECHAZO

Murió al nacer.

¿Habrá también un rechazo psíquico?
ya que el niño se comporta como un enemigo de
                                              [la madre
                    (inconscientemente claro)
porque hay algo que no le va,
algo que pasa que no pasa,
y él muy **SOLO**
en la placenta
rechaza tal compañía,
y se va.

La voluntad es misteriosa.

LA CÉLULA RECUERDA (testamento 1.º)

Cuando me muera, que me saquen la pituitaria
que me bañen en alcohol
y me pongan a secar al sol.

Por mi madre que con mi pituitaria
no volverán a nacer más enanos en el mapa.

Por si de viva os di la lata,
de muerta
            heredaréis mi pituitaria [1].

---
[1] Enviarla al Laboratorio de San Francisco, USA.

SI ESTA NOCHE...

Si esta noche...
precisamente esta noche no llamas...

Ya no me importa quién me va a suplantar.

SOLEDAD INVADIDA

Y de pronto se llena nuestro cuarto de seres;
frases ojos detalles dibujos y pistolas
(todo menos recuerdos).

... ...

—¡Por favor, no beba líquido antes de comer!
(carcajada universal).

Me siento mal
en esta silla
en esta silla
me siento mal;
y por eso me pongo un cojín
en el artesonado
y me espatarro.

La que no se casa es porque no puede
el que no es feliz es porque no quiere...
(y vuelve la voz:)

—Ponte el leotardo petardo
que así no llegas a la emisión.

310

PARA DAR EL CERROJAZO

Para dar el cerrojazo
hay que tener mucha fuerza.

El cerrojo está oxidado
y hay una espina en la ceja...

Me voy con la Fantasía que no me limita.

ALPINISMO

Cambiar de golpe la ruta, cuesta.
Marchar hacia arriba cuesta
subir hacia abajo cuesta;
piscina hotelito amante, cuesta.

Cuando parece que estamos perdidos
estamos rehallados.

SINCERA SÍ SOY

Sincera sí soy,
tanto que casi brusca por ser demasiado;
la virtud te pone al borde de ser cruel.
Cruel: pecado del sinpecado.

INTERIOR CON MARIPOSA MUERTA

Interior con mariposa muerta en el sofá.

Oxidadas tengo las bisagras de mis ojos
de tanto llanto llano;
se van empequeñeciendo estas niñas,
que ayer me miraban alegres
desde el fondo del espejo;

desde el fondo de la botella
me miran taciturnas
las pasadas horas felices.

¡No me basta el pasado!

¡No quiero que se pase!

Y el pasado me pisa y me posa
y al final me posee, como una amante religiosa.

También había un ángel inocente
saltando a la comba con una culebra.

Todo esto acabo de verlo
en el fondo del fondo
de la botella.

TELEGRAMA

Te diría muchas cosas
pero nunca «adiós»
tú vienes de los de Europa
yo sólo soy español.

YA SOY ASTÉNICA

Ya soy asténica
y anoréxica
por la gracia
de ti;
y un poco detonante
sin fusil...

(Me distraje,
triste y dulcemente
los gatos maullaban
a Vivaldi).

PARA SUBIR A LA PAZ

Para subir a la paz
hay que bajar al dolor;
el que está canonizado
tiene que hacerse mejor.

MAL TIEMPO

La estatua tiene pulmonía.
Y la Santa Rita
esta enfermita de termita.

San Hilarión
afina el organillo
junto a San Palemón.

San Antonio ha agotado
el cupo de noviazgos,
—ahora como antes
ya todos son amantes—;
y yo antes bien al contrario,
me voy a buscar un extralabio

VEO QUE ESTOS POEMAS
ME VAN SALIENDO

Veo que estos poemas me van saliendo
como pozos de pueblo
sencillos, claros
dentro de su profundidad.

ONDAS

Sintonizo el monitor de largo alcance
recordadme.

No sé cómo podéis aguantar tanto
sin saber de mí.

Dios os bendiga. Corto.
Firmo:

      Soy un muerto que vivo tan sólo...
—tan sólo de milagro—.

ALMAS DE DURALEX

Almas de duralex
tenían los inocentes.

No querían ser mártires,
querían ser vivientes;
los tiraron desde arriba

                —los ricos—

les hicieron añicos...

y se volvieron a juntar.

DESDE OTROS MUNDOS
NOS LLAMAN A LA TIERRA

Desde otros mundos nos llaman a la tierra
«planeta azul».

Desde el Galaxio
la tierra es niño
vestido de azul
con su metralleta
y su canesú.

LIEBRE LIBRE

Somos violentos
agresivos de herencia.
Tenemos pasado de cazadores.

Yo no soy cazador ni conejo,
soy liebre libre que no se deja cazar.

VECINOS

Todos vivimos en el barrio del Volcán;
la lava camina,
la lava camina pero sólo a 50 centímetros por
                                              [hora.

Nos da una oportunidad
—avanza lenta—,

de ti depende si te coje el toro.

EL MALAMAR

Hay gentuza
de corazón de gamuza
que tiene un buen saque
y un malamar.

—Los enemigos no siempre nos hacen daño;
también nos enseñan a defendernos—.

... ZURCIENDO ESTOY MI ALEGRÍA

... Zurciendo estoy mi alegría.
Se me había apolillado
y esta noche...

¡tengo un recital!

RESCÁTAME DEL OLVIDO

Rescátame del olvido,
libérame del recuerdo,
¡date prisa! mi corazón
no perdió la razón,
sigue cuerdo...

Mi libertad que afluya.
La sensibilidad que haga lo que quiera.

Ya no pienso,
siento;
—y me siento mejor—.

SÓLO LOS MUERTOS NO RÍEN

Sólo los muertos no ríen,
sólo aman,
desde su atronador silencio
que tampoco oímos.

TANTO TANTO

Mientras cepillo mis huesos
con llanto seco
y arreglo mis persianas
para entornar mi herida;
oigo tu estribillo
sin brillo.

QUEMARON A SAN ROQUE

Quemaron a San Roque
y no ardía y no ardía;

Parece ser que Dios estaba entre las filas.

COLADA

Hay personas,
que después de intentar lavarlas,
más que tenderlas,
—en la cama—
hay que colgarlas
de un árbol.

CARACTEROLOGÍA

Hay gente que no tiene aspecto de persona.

El carapájaro será un pájaro.
El caraciervo será un ciervo.
El caracuervo será un pelotillero.
El caradura será ministro de magistratura.

La carapájara será una pájara.
La caracierva será una mierda.
La caracuervo será un infierno.

(Hay monos que parecen humanos.)

MEDIOS DE LOCOMOCIÓN
O EL PECADO DE LA PRISA

Entre el pie y el ala está la pezuña.
Entre el patín y el Renault está el avión.

Sin nunca tener coche ni tenerle
sé que puedo «irme»,
por un exceso
de velocidad.

Tengo paciencia, pero no freno.
Mi preocupación por los demás va muy deprisa.

Sé que puedo acabar
por un exceso de velocidad.

... Y DIOS EN MEDIO

... Y Dios en medio
como un jueves cualquiera
—no necesariamente santo—;
siempre ahí,
en medio,
entre la fe y el espanto.

HOY HACE MUCHO RUIDO

Aunque llover no llueve,
crece la angustia y la ansiedad.

Hay buena cosecha de depresión
por todo el litoral.

También crece el ruido en la ciudad,
y al termómetro de los decibelios
se le sale el mercurio.

NADA SE PUEDE EXPLICAR

Todo se puede explicar
(menos un cuadro, un poema
o una sirena de mar);

que tan sólo lo que existe
lo podemos explicar;

el amor, por un ejemplo,
nadie lo puede explayar.

DRAMAS PARA ESCRIBIR

Primer acto: El abogado es el criminal.
Segundo acto: El médico es el enfermo.
Tercer acto: El preso el inocente.
Cuarto acto: Interviene la gente
                       y grita ¡No hay derecho!
Quinto acto: El quinto es no matar y entre
                       todos asesinaron al autor.

NO SIEMPRE SER PESIMISTA
ES QUE ERES REALISTA

Cuántos pesimistas hay
sin un motivo real,
ya que no sabemos
lo que fondeará.

Ser pesimista
es lo irreal,
aunque el miedo nos parezca
pavo real.

COMO NO PUEDO IR

Como no puedo ir...
Acaricia la jara, la mimosa,
todo lo que plantaste delante de mí:
acaricia a los chopos,
mira al cielo
y acuérdate de aquí.

1970 Y...

Llegó la hora de los siniestros...

Podíais suicidarme
cuando os diera la gana
¡pero ojo con tocarme!
que ya estoy bien matada.

Sacudo las espuelas y el peluche,
¡No soy oso de trapo!
ni soy ataúd
            (lo siento)...

¡Temblad!
            ¡Soy un milagro!

LA CABEZA NOS ORGANIZA

La cabeza nos organiza;
el corazón nos desorganiza.

La envidia nos integra;
el amor nos desintegra.

AMAR PARA NADA

¿Amar para nada...? Miento...

Te pagan con soledad
y hermoso padecimiento.

Ya no peino mi melena,
como me han hecho tan mala,
sólo amo a la gente buena.

Ya no voy a la verbena;
hice un «tiro al blanco» en casa
y un «tío-vivo» con mi pena.

SEÑALES DEL UNIVERSO

—Aquí, ki... ki...
Aquí fantasma truncado.

—Se oye como un latido.
¿Será mensaje o quejido?

—No encuentran en la sombra
a dos millones de años luz...

—¿Será estrella o ataúd?

JUEVES SANTO

Todo tu hacer me tiene pensativa;
pensándote me paso el llanto entero.

Para pasar el hambre, toma el pecho,
el mío, que te doy para que vivas.

Blanco mantel he puesto almidonado
por el llanto tardío de mi culpa
para la cena mística del dueño.

Dáme el pan de tu cuerpo en una carta,
bébete mis palabras son el mío,
junta ahora tus palmas con mis palmas,
que ellas quieren rezar de cuatro en cuatro.

NO REÍROS DE NADIE

Tan sólo de las cosas,
no reíros de nadie,
tan sólo de la gracia.
Ya lo sabe por fin la aristocracia.

Ni reíros vosotros los del pueblo,
que cada casa tiene su marica,
su santo, su ramera o su ministro...
el limpio limpio limpio tire piedra.

Todo mal quedará al fin disipado;
el mundo no estará apolillado,
cuando por fin
algún gallina-madre
ponga un huevo cuadrado

A UN ARTISTA

Prefiero la selva al Museo;
prefiero un muchacho vivo
a un cuadro muerto.

Prefiero
          ver al hombre
no a su libro impreso...

¡No me contéis el crimen,
prefiero ver al preso!

¿CÓMO DESTRUIR?

I

...pero ¿cómo destruir aquello
que no podemos crear?

que es lo que hacen los inseguros
los fracasados
los vengativos
los malhumanos.

II

Mis métodos
para defenderme del atacante
son diferentes al rencor.
Son métodos lentucios:

Siéntate en el sofá de tu casa enangelado
hasta que tu enemigo pase endemoniado.

LOS QUE TENEMOS MEDIO SIGLO

Los que tenemos medio siglo,
juntando los segundos de placer
no hemos gozado más de un mes.

SIGO EN GERUNDIO

Una gente se muere poco a poco,
otra se mata poco a poco.

Yo pertenezco a...
Ustedes pueden adivinar.

Por eso sigo en gerundio
andando
        cantando
                odiando
y,
  disimulando.

SE CASA MUCHA GENTE

Se casa mucha gente sin tener ortografía y son
                                    [felices;
es una lección que dan a los bibliófilos.

¡Que_andemos siempre analfabetos,
psicópatas-ángeles,
gilipollas-santos!

MINICURSI

Gloria Fuertes
antipoeta
teóloga-agrícola
diputada en cortes
de mangas
profesora en partes
—comadreja—
puericultora
archivera
hechicera de cartas
perita en dulce
—sus labores—
doctora en bordados a mano
y a máquina
campeona de «pentalón» corto.

HOMENAJE A RUBÉN DARÍO

La cipresa está triste ¿qué tendrá la cipresa?

Se ha quedado sin nidos y descalza de hierbas.
Secóse el cementerio; muriéronse las guerras;
cernícalos no alondran; murciélagos la trepan;
alondras ruiseñores volaron a otra tierra.

Que nadie quiere a un triste
y más si no es princesa,
si es presa del destino,
presa, sí, de la niebla.

Un ciprés sin su muerto
es algo que da pena.

¡Qué triste está sin triste!
¡Qué sola, la cipresa!

ALCABALA PARA LA INOCENCIA

Me niego a contribuir a esta decadencia.

En vista de lo no visto
ante esta reunión
me desenquisto.

(¡Tócame la viola de gamba, caramba!)

Luego actuaré yo con mis nuevos poemarios
y los dejamos secos a todos.

COMPRO COSAS QUE NO COMO

Compro cosas que no como,
echo cartas que no leo;
tengo diversidad de cornamusas.

Si me regalan un pájaro
le abro la puerta;
me quedo con la jaula que no hace ruido,
bien metida en ella.

La jícara del alpiste apenas disminuye;
el tarrito del agua aún tiene
unas gotas de llanto y pipermint.

SOLEARES DE SOLA

A mi tía Domitila

Tengo repilo
como un olivo viejo
tengo repilo.

Tengo repilo
repilo que repele
a mi mal amigo.

Yo tengo un radar
«pa» detectar mentiras
yo tengo un radar.

Viva el ingenio,
que quien a mí me engañe
merece un premio

Las viejecitas de Boston
«tién» boca trébol
dos piquitos arriba,
dólar en medio.

Las viejas de Tres Peces
y Lavapiés
tienen en la mesilla
tinto con selz.

CON Y EN COPA

He estado no sólo con una copa sino en una copa.

¿Ha estado usted en una copa
de árbol con miura abajo?

Si usted no ha estado así de perdulario
no va a poder entender este diario.

YA NO DESTROZO LA POESÍA

Por fin,
ya no destrozo la Poesía;
me gusta más la violada realidad
que la santísima pureza juanramoniana.

POBRES PROBETAS

Microbios o virus
bacterias o el Bar,
verdaderos enemigos
de la Humanidad.

Pobres probetas si no podéis más que los poetas.

ANÁLISIS

Lo que el amor tiene de amor: **3,**
Lo que el amor tiene de erótico: **47,**
Lo que el amor tiene de agresivo: **50,**
hace que el amor sea Violencia.

CELOS CON FUNDA-MENTO

Nuestra Señora de la Mosca,
desmosquéame.

Quítame la peluca
mira bien;
necesito aire,
siérrame;
de la dura duda,
sálvame.

VIRGEN DE LA LECHE
(*Oración*)

¡Oh, Virgen de la Leche!
palomita valiosa del museo del Prado.
Te elevo mis preces
porque se difumine
la mala leche en el agrio.

Así en el agrio como en la gran ciudad,
porque ya no podemos más.

Riéganos a los secos pescadores
con tu chorro de gracia,
¡oh, Virgen de la Leche!
purísima entre tantas.

Anéganos con tu lácteo manantial.

EL VERDADERO ARTISTA

No cuadro, no escultura,
no música, no poema,

el verdadero artista
es el que su Alegría crea.

LOS ILUMINADOS

Espíritus oscuros
intentan destruir la luz de los luminosos.

¡Pobres de los iluminados
que en pleno siglo xx
siguen siendo quemados!

¡Gustavo!
¡Qué solos se quedan los buenos!

SOMOS TAN...

Somos tan... crueles
que prefieres estar unas horas con quien quie-
que toda una vida con quien te quiere,   [res
—o al revés—.

LETANÍA

Artesonados catedralicios,
procurad que dormite la termite.

Santos de palo santo,
procurad que dormite la termite.

Seres de alma vetusta,
procurad que dormite la termite.

Almas con cuerpos pachuchos,
procurad que dormite la termite.

Frentes con cuernos internos,
procurad que dormite...

ESTADOS DESUNIDOS

Angustia: presentimiento de la nada.

Miedo,
      de que te vas a volver cuerdo
o que te van a volver muerto.

SI TU NOVIAZGO ES COMEDIA

Si tu noviazgo es Comedia
tu matrimonio será Drama.

ECOLOGÍA

Cuando nace un cueceleches de aluminio
muere un árbol.

Los frutales, las viñas y nogales
suicidados.

Sube la industria,
baja el campo.

Suben los humos,
baja el ganado.

Este agua está clara;
submarino, no te acerques.

¡Eres un espantapeces!

CANTAMOS CONTIGO

Ven a jugar con nosotros,
nosotros somos unos buenos chicos.

Hemos cambiado el fusil por una escoba,
vamos a barrer la trinchera.
Hemos cambiado la bomba de mano
por una mano en la mano.

Ven a jugar al corro de la sardana.
Ven a jugar al «no me da la gana».
Hacemos novillos para espantar cuervos.

¡Tira el pizarrín! ¡Sé valiente!
Ven a que te llamen diferente.

ES DIFÍCIL RECTIFICAR EN VIDRIO

Es difícil rectificar en vidrio,
acuarela o amor.

15 DE MAYO

San Isidro, estoy cansada,
yo te dejo mi herramienta,

Tú, que nunca fatigado estuviste
—ni en tormenta—,
tú, que todo lo rezabas
             lo labrabas
             lo sembrabas

tú, que hablabas
             con los santos
             con el trigo
             con el ave.

Toma, planta mi bolígrafo,
a ver qué coño nos sale.

San Isidro, estoy cansada.

LA PAZ NO ES MI FIN

La paz no es mi fin
sino el medio de conseguir ese fin.

...ACARICIO TU SOMBRA

...Acaricio tu sombra,
noto que tú no te estremeces.

...Acaricio tu sombra,
aunque sé bien que tu voz no me nombra.

¿ O Y E S ?

—¿Oyes?
—Nada.

—Es evidente
que alguien se muere debajo del puente.

...La Muerte no llega sólo al que la pasa.

EL CORDERO DEL CUADRO

...el alba sangraba
igual que un cordero degollado al amanecer;

por el filo de mi insomnio sangraba el cordero
[del cuadro.

COMO SEMILLA

Quise ser inventor de pirámides y encinas,
—ya estaban hechas—.

Quiero ser lo que el señor Aire
quiera que sea,
como semilla...

CORONARIA

Hace 40 años ya hubo un transplante sanguíneo;
unos médicos dicen que no.

¿Cómo que no?
si desde que tengo uso de razón
estoy viviendo con otro corazón.

LAVATORIO

Cuando los milagros dejen de ser milagros,
la Ciencia será Santa Teresa.

Cuando nos aclaremos...
¿Cuándo nos aclararemos?

Cuando la espuma del miedo
se desintegre bajo el Chorro lúcido.

EL VERDADERO PELIGRO

El verdadero peligro eminente
está en el corazón y no en la mente.
¡No en el átomo!

Límpiate el corazón;
sacude el incensario,
para terminar feliz
el itinerario.

MISA DE REQUIEM
POR EL ALMA DE LAS LILAS

Cayeron en la Casa de Campo
—como tantas y tantos—.

Eran lilas dobles
de perfume doble
de color en doble
entre lila y blancor.

La señá Felipa cantaba su pregón:
«Lilas, de la Casa Campo, lilas».
(Hoy Prado del Rey).

AMABLE INDIFERENCIA

Aquello me convirtió
en amable indiferencia
con algún bucle excéptico.

A pesar, alguien me sigue,
como el relajo al alcohol.

ES LO MALO DE LO BUENO

Es lo malo de las cosas o de las madres,
cuando empiezas a quererlas, se te mueren.

Es lo malo de lo bueno.

Es el aire.
Cuando empieza, te acaricia,
luego acaba en huracán.

Es la vida.
Es el aire.
Es el círculo.

Si le duele, la vaca brama en el soto.
¡Es la leche!

CRECE EL CRISTAL Y NO CRECE LA ROSA

Crece el cristal exacto, el cristal crece.
Ya lo creo que crece y crecería
si tu risa y mi risa se unirían.

¡Qué carcajada tonta sonaría
—pero al fin carcajada—
mano mía!

LA VERDAD DE LA MENTIRA

Y lo abstracto lo inventó
—antes que el hombre—
el ala de una mariposa;

lo morboso lo inventó
una mantis-religiosa;

la religión la inventó
una duda. temblorosa.

PARA SEGUIR CAMINO PIERDE
LA MEMORIA

Para seguir camino deja la memoria, pesa...
(no sé qué sigue; lo escribí dormida y se me ha
[olvidado]...
Eran como dichos de mi refranera madre:

—Truhán, que eres un truhán.
Si no te meto en cintura ¿cómo acabarás?

—Quien hace incesto es que no tiene tiempo.

—¡Nada de trío!
Eso es peor que acostarte con tu tío.

—Oveja que bala, poema que pierde.

OBSERVANDO EL COLOR
(hablo para un pájaro)

Hay niños sin sandalia marrón
jóvenes sin niñez azul
viejos verdes
adolescentes blancos
curas rojos
grises chinchillas embarazadas.

Hay de todo,
y para todos,
totovía.

PIEZAS ESQUIVAS

Veinte fanegas
cuatro chicharros
cinco jureles
(pescados de guerra).

Moscas artificiales
o moscas secas.
(Deben ser verdes
o fabricadas con plumas de gallo).

También dan buen resultado
moscas coloradas
previamente ahogadas.

Sólo así
triunfará el pescador.

ELEGÍA A LOS QUE LLEVAN DOCE HORAS BEBIENDO Y DOCE AÑOS SUFRIENDO

Os canto ahora aún vivos todavía.
Os siento dentro, igual que a mi esqueleto.

Os voto en el certamen.

Sé lo que es esa arcada,
mi arquitecto.

345

Aún los que dormitáis me escucháis mucho;

...daría más...

si pudiera inculcaros esta jaculatoria:

No estamos solos,
un zumo de limón nos salvaría.

FRAGMENTO

Eso es lo que soy:
fragmento
de una vida tuya,
de una obra tuya,
de una carta mía.

¿SERÁ QUE HAY QUE MORIRSE DE OTRA MUERTE?

¿Será...
que hay que morirse de verdad?

Ahora no nos pasa nada
más que,
que no nos hemos muerto.

Mejor, nos han matado
mirando el firmamento;
nos han matado a boca barro.

Y esto que nos pasa...
pega con cierta religión.

Estamos en el infierno,
o en el limbo...

Algunos podían estar en la Gloria,
pero estoy sola.

¿Será que hay que morirse de otra muerte?

Todos los muertos mejoran,
suben a la superficie,
sobre todo los ahogados.
Dicen que se les hincha la tripa
y que se mean de risa antes de parir.

NUNCA SE SABE

Si no tuviera esperanza,
me tiraría por la ventana;
pero...

¿dónde está la esperanza y la ventana,
si vivo en un sótano?

EL CORAZÓN DEL ALMA

También el alma tiene su corazoncito
como la gente del pueblo.

A veces se harta el alma de ser sólo alma,
de ser fría, abstracta, incorpórea y tal,
de estar predestinada a un solo más allá.

Y el alma se cabrea,
se le acaba la correa,
se fatiga de aguantar
su proceso natural.

Y le nace un lobanillo
—bulto, acceso o tumorcillo—
que se llama corazón.

A NO SÉ QUIÉN

Ristras sin ajos,
así se quedan los ristras,
los putiartistras,
los Nadasón.

Al fin se quedan sin ajos,
sólo paja
y cascarón.

SEMANA SANTA

Un costalero cuesta
mil pesetas;

el Muerto de Arriba
sólo costó treinta monedas.

NO CAED EN LA TENTACIÓN

Sólo una vez que aproveché la ocasión
salió fatal.

No confiaban en mí desde entonces.
No es cuestión de mi edad ni nimiedades.

Ya no me tienta aprovechar oportunidades.

FUEGO EN EL CEMENTERIO

La nicha está que arde.
Tres fosas inundadas.
Más bomberos que muertos.
¡Qué chorreo de agua!

El féretro del niño navega a la deriva.
Mientras otros finados se refugian
en la Sacramental Privada del señor Duque,
miles de jóvenes inconscientes nadan a salvo
en la improvisada piscina de la fosa común.

EL LABERINTO

Pensando en pasado: Culpa Siempre.
Pensando en futuro: Angustia Legal.

Parece que no hay salida
del Laberinto y la hay.

MIRA A LOS MEANDROS

Mira a los meandros, percochona.
Estás al norte, rubia y risueña
mientras yo corto caña y sudo arroz
sin escapatoria posible
y sin poder lucir mi escapulario.

¡GOL!

Si consiguiéramos el gol
de eliminar
lo feo por lo esencial,
surgiría un luminoso
narcisismo espiritual.

PARA MEDITAR Y REVOLVER

¡Qué poco te quiere
quien no quiere a quien quieres!

—o al revés—

¡Qué poco te quiere quien quiere a quien tú quie-
[res!

COPLEANDO

Anoche no había velas.
Estaba el suelo nublado
de luto por mi cariño
porque tú me le has matado.

LA FELICIDAD ES UN CRIMEN

La felicidad es un crimen.
Para ser feliz hay que hacer daño a alguien.

Que no juegue.

La venganza tizna;
pasa a cruel
quien no sabe perder.

SUMARIO

Mi perro y yo
comemos quesito
a lo solito.

Mi perro y Dios
son dos
y una que me llevo tres
(o al revés).

Tres que me llevan a mí
hasta el fin.

¿OS HABÉIS PUESTO EN LUGAR DEL OTRO?

¿Os habéis puesto alguien alguna vez
en lugar del otro?

¿Habéis tenido alguna vez un ramalazo
de generosidad?

¿Habéis dejado todo
        aguantado todo
por quien queréis?

Si es así, estáis salvados.

—Pero... ¿Y si quien queremos no le interesa que
[le queramos?

352

MEJORA LA NIÑA QUE NACIÓ CON UNA BALA

A su madre le dieron cuatro tiros en la tripa
cuando estaba en avanzado período
de gestación.
La niña —sin nacer— salvó a la madre,
haciéndose cargo de la situación.

Después, unos médicos y unas oraciones
salvaron a la niña gravemente afectada.

En vez de morirse —que era lo suyo—
¡cagó la bala!

PARTE FACULTATIVO

El dolor persiste, pero su intensidad ha dismi-
[nuido.

¡Qué gusto me da verte tan canijo, dolor potente
[ha tiempo!
Ya no eres el que fuiste,
campeón ante este débil cuerpo enamorado.

K. O. me dejaste más de trece veces
y ya te tengo fuera de combate.

De hielo estaba la esquirla clavada dentro tanto;
ya no pincha derretida en llanto.

LUCIÉRNAGA FUERTES

Cuando pienso en los muchachos
que se desangran dentro del cieno,
me avergüenzo de vivir caliente
               de comer caliente
               de ponerme caliente.

Me avergüenzo de que me gusten los toros.
Me avergüenzo también de ir de caza con los
(¡Qué manera de estropear la tarde!)   [amigos.

Y me avergüenzo de ser un libro lujoso de poe-
encuadernado en piel de hembra   [mas
ante tanta hambre.
Siempre seré un gusano literario,
por muy Luciérnaga que me llamen.

HABLANDO DESDE EL ESPACIO

Ojos que no vemos
nos examinan de amor desde el espacio.

Escudriñan y husmean microscópicamente
nuestras más oscuras partículas.

Nos enfocan;
nos hablan desde Dondesea
y fingimos no entender
ni su idioma ni su luz
cuando nos examinan de amor
constantemente desde el espacio.

LA TRISTEZA DEL ÁTOMO SOLO

La tristeza del átomo solo
sin su molécula.

PLAGAS CAMPERAS

¡Pobres campos de trigo!
¿Qué será de la cosecha
de aquí a que pasen los trillos?
Más de media España tiene
garrapatillo.

PROFECÍA

Día llegará,
que huirás de todo lo que te hizo y hará daño.
Para conseguirlo,
pagarás la cuota de veinticinco o cincuenta
años de paz y riñones.
Se robustecerá tu barba
y te crecerá una mini-tranqui piernas arriba
que no sabrás qué hacer con ella.

DESENTRENAMIENTO

Es que estoy tan triste de no encontrarme triste.

Acabo de encontrarme un chupachús en cambio,
(no le chupo por si está envenenado).

A altas horas del día
se me suele aparecer
¡mi madre!
(señora la cual no se hizo querer por servidora
[en vida.)
Ahora
tanto ella como yo
vemos las cosas a las clarisas del alba.

Hoy me ha dicho:
—Llegarás a acostumbrarte a la alegría, Glorita.

LOS RAROS

Llegan los raros,
—se divierten poniéndose tristes—.
Nos invaden los raros;
acaban con el escalafón.

Gracias al suelo no crecen
malas hierbas
en el cemento del convento.

Solamente en la gran urbe
crece la ubre
de la mala,
semilla.

NO ME CATALOGUES

No me catalogues
no me catafalco
no me catadiñes
—sería desfalco—.

PUEDE DARSE

Puede darse paz triste,
nunca guerra alegre.
—Pues paz con alegría y plumas de conejo
se llevará este otoño.

HORA ES YA DE QUE SE ROMPA LA CADENA

Hora es ya de que se rompa la cadena de fecho-
la cadena de **estampitas**,   [rías,
de favores —toma· y daca—
de chantajes con puntilla,
de beata con petaca.·

¡Ya es hora de que rompamos
la cadena de Hacerloquenoshacen!

La cadena de si en la noche ¡ay! te hicieron daño.

La cadena de esperar al día
para pegar un palo al inocente que te ama.

AL DOLOR NO LE HUYAS

No le huyas,
se pone más furioso.

Entrégate al dolor hasta que se harte.
Concéntrate en él
y en el que todo nada dura;
y no hagas aspavientos.

Así el dolor se enfriará asqueado
ante tu indiferente misticismo.

HACIENDO LIMPIEZA

Cuando se acaba un cajón
abro una puerta.
Papeles amarillos salen zumbando;
vendaval oportuno
—un viento que se acaba de levantar de la cama—
sopla y relimpia
los rincones de mi aparador.
Una incómoda cómoda
con los cajones al aire me sonríe.

EJERCICIO

Repasa el pasado.
Recuerda el recuerdo.
Remata la mata.
Despliega el repliego.
Apaga la radio.
Enciende el espliego.

HE VISTO HACERSE EL DÍA

He visto hacerse el día
desnacerse la noche
hilvanar asesinatos
milagros vislumbrar.
He visto todo tanto
que ya no llevo gafas,
tan sólo en los bolsillos,
un papel de fumar.

EN MADRUGADA O PERDÓN SERENO

—El mérito,
saber ser malo y no serlo,
el menor mérito,
saber ser bueno y no serlo.

—¿A qué bloque pertenecemos?
—La mayoría como siempre al de en medio.

—Perdón, Sereno, ¿cuál es el bloque de en medio?
—El de todos los que tenemos miedo.

SÓLO CON DESEARLO SE SEGREGA ESPERANZA

El ingenio humano es portentoso.
Puede cambiar la química del alma.
—Sólo con desearlo se segrega esperanza—.

Es el arma secreta que acaba con la pena
de creer que perdemos cuando estando nadando
de creer que ganamos cuando estamos bebiendo.

CIENCIA Y PACIENCIA

Todos los elefantes del circo
padecemos del corazón,
—debido al miedo al suplicio
de los entrenadores al duro trabajo,
a la vergüenza de haber llegado a ser mansos
                                    [domesticados
al ridículo de poner nuestras toneladas en pie
para bailar el vals de Strauss—.

Todas las morsas del circo
padecemos también del corazón,
al igual que algunas totovías
que en cautividad soportan extrañas arritmias
y cantan con la aurícula izquierda
en vez de con las alas.

360

A NUESTRA SEÑORA DE LA MAYOR SOLEDAD

Solísima Sola,
¡qué sola quedaste,
con tu Hijo muerto
ahí de estandarte!

Viudísima Viuda
de tu San José.
¿Qué te queda ahora?
Espinas y sed.

Solísima Sola,
Vos, no os apuréis.
Yo también soy sola
y acompañaré
vuestra Soledad.

Vivimos muy cerca.
Yo os visitaré,
porque vuestro Hijo
me caía bien.

C A M P

«Aquel tapado de armiño
todo forrao de lamé»
—tango que yo cantaba en mi niñez—;

ni sabía lo que era «tapado»
ni lo que era «armiño»
y menos eso de «lamé».

DESDE MIL NOVECIENTOS SESENTA Y CINCO

Desde mil novecientos sesenta y cinco
mi destino estaba hecho
un fuera de serie.

PUEDE VENIR LA SALVACIÓN POR LA NADA

Puede venir la salvación por la nada
en vez de como nos decían por el todo.

ARTE

Arte,
a veces hacerlo bien
es no tener idea de lo que va a salir.

YO NO DUDO DE MÍ

Yo no dudo de mí
en lo que no estoy de acuerdo
es en si lo que estoy haciendo
es lo que debo.

FRAGMENTO DE CUENTO

El mono y el mamut
también eran seres espirituales.
Ambos se enamoraron en la mili;
los llevaron al campo de concentración
a dieciocho bajo cero...

Para ellos fue un día espléndido.

EL POETA QUE TUVO UN ACCIDENTE
DE TRABAJO

Vamos tirando
a brochazos
pintando
de optimismo
el ocre tenebrismo
del pasado.

Enjalbegaba,
lo blanqueaba todo
en el séptimo piso de su andamio.

En el aire el poeta
en las nubes pensando
se le enganchó la pluma
de la grúa
en el séptimo acto.
Y se cayó el poeta

y se calló el poeta
sin terminar su obra de teatro.

Así ingresó en la Paz
—también ganada—.

A LOS HOMBRES QUE RÍEN CON TRISTEZA

A los hombres que ríen con tristeza,
a los otros alegres que sollozan,
a los presos con vocación de santo,
a las putas que iban para monjas,
a los ricos que nacieron nada
y a los gusanos con motora,
dedico
mi vasito de leche
y a dormir...

Colección Letras Hispánicas